MITSUBA

© Actes Sud, 2007, 2020
Initialement paru chez Leméac Éditeur (Montréal) en 2006
ISBN 978-2-330-01055-3

AKI SHIMAZAKI

MITSUBA
Au cœur du Yamato

roman

BABEL

I

Je me dirige vers la compagnie Goshima.

Il est sept heures et demie du matin. Je bâille. La veille au soir, je suis rentré d'un voyage d'affaires à Singapour et je me sens encore fatigué.

J'y suis allé deux semaines faire une étude de marché : notre firme envisage de vendre un nouveau modèle de climatiseur de la compagnie S. J'ai collaboré avec le chef adjoint de notre succursale, un Chinois. L'enquête sur place a avancé sans difficulté grâce à sa bonne connaissance du marché dans son pays. Nous avons conversé en mandarin et nous nous sommes très bien entendus. Lui et sa femme m'ont invité à dîner à la maison et il a préparé un bon repas lui-même. C'est un sportif. Nous avons joué au tennis ensemble.

Là-bas, on m'a confié une autre tâche, totalement inattendue : servir de guide au président de la banque Sumida. C'est un personnage de la plus haute importance pour notre firme, qui n'aurait pu survivre sans son soutien pendant la crise du pétrole en 1973. Puisque notre siège social à Tokyo m'a envoyé l'ordre de cette mission à la dernière minute, je n'ai pas eu le temps de réfléchir où emmener monsieur Sumida. Alors j'ai demandé au chef adjoint chinois de m'accompagner. Nous avons passé une journée entière à lui montrer la ville de Singapour.

Monsieur Sumida y est venu visiter une entreprise chinoise qu'il souhaitait financer. Il m'a dit combien le Japon devait aux commerçants chinois de là-bas : durant l'après-guerre, ils ont acheté des produits japonais que les Occidentaux méprisaient. C'est un homme plutôt franc. Il m'a même parlé de son fils unique, qui ne veut pas se marier bien qu'il ait déjà atteint le milieu de la trentaine. Quand même, accompagner un personnage pareil me semblait beaucoup plus lourd que l'étude de marché elle-même, car il fallait prendre garde de ne pas le froisser. Tout cela m'a mis à bout de nerfs. En tout cas, l'*atendo** est aussi une tâche très importante pour les *shôsha-man* et j'ai fait de mon mieux.

Je regarde l'immeuble Goshima qui reluit sous le soleil du matin.

Situé au milieu d'un beau quartier de Tokyo, il se démarque par la modernité et la hauteur de ses vingt étages. Des milliers d'employés fidèles y travaillent en mettant en place un gigantesque réseau d'informations. C'est un *sôgô-shôsha*

---

* Les mots en italique sont regroupés dans un glossaire en fin d'ouvrage.

bien connu à travers le monde, qui s'occupe principalement de produits électriques et pétroliers. Il a fait des progrès remarquables dans les années 1960. Ses succursales sont aujourd'hui établies aux quatre coins de la planète.

Je suis entré dans cette compagnie en 1974, il y a sept ans. J'en suis maintenant incontestablement devenu un *shôsha-man*. C'est une profession exigeante, mais je suis content de mon choix. Le dynamisme unique du *sôgô-shôsha* m'excite toujours. D'ailleurs, je suis fier d'appartenir à l'une des entreprises majeures qui soutiennent une grande partie de l'économie du Japon. Je compte y rester jusqu'à ma retraite.

Le soleil de mars verse doucement sa lumière. «Quel beau temps!» Je m'étire en bâillant. Sur le revers de ma veste brille l'insigne de notre compagnie. Les gens qui le remarquent me lancent un regard de respect ou d'envie. En regardant le ciel limpide, je pense à mon père, mort voilà onze ans. Je voudrais pouvoir lui parler de mon travail. Je suis sûr qu'il serait fier de moi.

J'ai presque trente ans et ma vie va très bien. Sauf le fait que je n'ai pas encore de petite amie avec qui fonder une famille. Mes proches parents et des gens de ma compagnie tentent de me présenter des filles nubiles. Monsieur Toda, un de mes supérieurs, m'a proposé un jour de rencontrer une fille recommandée par sa femme, maîtresse de la cérémonie du thé. L'autre fois, Nobu, un de mes collègues, a failli arranger une entrevue entre une fille et moi. Comme je n'ai aucun intérêt pour ce mode de mariage organisé, je n'ai pas accepté leurs propositions. Néanmoins, Nobu était tellement insistant que je me suis fâché : « C'est une gentillesse dont je n'ai pas besoin. Tu sais bien que je ne veux pas me marier par *miaï*. Alors, je n'ai aucune intention de voir cette fille, ni qui que ce soit. » Nobu a été déçu : « C'est dommage ! Elle serait parfaite pour toi ! »

À vrai dire, il y a une fille qui me plaît beaucoup. C'est une réceptionniste dans notre compagnie. Elle s'appelle Yûko Tanase. Je la rencontre à l'occasion dans un café. Je me rends compte que pendant mon voyage à Singapour, j'ai constamment pensé à elle. Dans l'avion, dans l'hôtel, au restaurant, dans le taxi... Partout où j'allais, je souhaitais qu'elle soit à côté de moi, surtout quand je regardais le ciel d'une belle nuit.

Yûko est originaire de Kobe. À Tokyo, elle habite chez ses parents. Elle a un frère de mon âge, déjà marié. Son père est le chef d'une succursale dans une entreprise spécialisée dans les fibres synthétiques. C'est une compagnie financée par la banque Sumida, comme la nôtre.

La première fois que j'ai parlé avec Yûko, c'était à l'Académie Kanda. Dans cette école de langues étrangères, je suivais un cours de français une fois par semaine. En octobre dernier, j'ai croisé dans le corridor une jeune femme qui travaillait dans notre compagnie. C'était elle. Je ne la connaissais que de vue. À l'époque, elle était affectée au bureau du service des affaires générales. Elle m'a reconnu et souri avec distinction. Nous avons parlé quelques minutes et j'ai appris qu'elle suivait aussi un cours de français, de niveau moyen. Aussitôt, j'ai aimé sa façon de s'exprimer. Sa voix était douce et claire, son japonais était aussi distingué que son sourire. Elle m'a donné l'impression d'être bien éduquée.

Ce soir-là, je l'ai invitée au café après nos cours, qui se terminaient en même temps. Nous marchions dans une ruelle qui menait à la station de métro, et nous nous sommes arrêtés devant un café nommé Torêhuru. Les lettres étaient écrites en *katakana*, verticalement, sur une enseigne bordée de vert. J'ai dit : «Torêhuru? Quel drôle de nom!» Yûko m'a dit : «Je crois que cela vient d'un mot d'origine française, trèfle.» Elle avait raison. Le café était au premier étage. «Allons-y, monsieur Aoki!» Elle s'est mise à monter l'escalier sans attendre ma réponse.

L'arrangement intérieur n'avait rien à voir avec ce mot d'origine française. On n'y trouvait que des plantes vertes. C'était un café banal. Déçue, Yûko a murmuré : «Je me sens trompée, car le trèfle est le symbole de la promesse...» Pourtant la jeune serveuse, qui travaillait seule, nous a accueillis gentiment et cela nous a plu. Nous nous sommes installés à une table, près de la fenêtre au fond de la pièce.

Ce même soir, j'ai appris qu'elle projetait trois mois de voyage à Montréal, où elle était déjà allée lors des Jeux olympiques de 1976. Je lui ai demandé comment il lui serait possible de prendre un congé aussi long. Elle a répondu franchement : «J'aurai quitté la compagnie avant le voyage, bien sûr!» En effet, elle avait déjà donné sa démission, dont la date était fixée pour le 17 mars de l'année prochaine. Je l'ai taquinée : «Quelle vie! Je voudrais devenir une femme. Ce serait plus facile de vivre.» Elle a fait mine d'être fâchée : «Vous ne comprenez pas encore les femmes, monsieur Aoki!» En fait, c'était une personne très active : en plus du français, elle suivait des cours d'anglais et d'ikebana après son travail et, le week-end, elle enseignait le *koto* chez ses parents. Elle a ajouté en souriant : «Le 17 mars est aussi mon anniversaire.»

Depuis, nous allons au café Torêhuru après nos cours à l'Académie Kanda.

Yûko est populaire auprès des célibataires, surtout depuis qu'elle a été affectée à la réception, voilà un mois. En fait, elle est là en remplacement d'une réceptionniste, récemment hospitalisée. J'entends que beaucoup d'hommes tentent de l'inviter à sortir, ils laissent leurs messages écrits dans la boîte d'enquêtes-questionnaires posée sur le comptoir de la réception. Une fois, elle a été choisie femme idéale par de nouveaux employés. Malheureusement, elle ne souhaite pas épouser un *shôsha-man*. Quand je lui ai demandé pourquoi, elle a répondu par un sarcasme : «Les *shôsha-man* sont déjà mariés avec la compagnie!» En tout cas, au travail, je ne parle à personne de nos rendez-vous au café, je ne voudrais pas susciter la jalousie de mes collègues.

Yûko n'est pas seulement belle, elle a des manières gracieuses. Je remarque aussi qu'elle respecte la langue japonaise et les arts traditionnels. C'est très agréable de parler avec elle. À chaque rencontre, je suis davantage attiré par sa curiosité, son caractère plein d'initiatives, ses aptitudes en langues étrangères. Je crois vraiment que c'est une femme idéale pour un *shôsha-man*. Elle pourrait être une bonne diplomate privée. Néanmoins, je comprends très bien ses sentiments négatifs envers les *shôsha-man*. C'est pour cela que je n'ose pas encore aborder la possibilité d'un «avenir» ensemble.

Je vois le calendrier posé sur mon bureau. Nous sommes le jeudi 4 mars. Mon regard se fixe sur la date « le 17 », marquée d'un rond rouge. C'est l'anniversaire de Yûko. Et c'est aussi le jour où elle quitte officiellement la compagnie. D'habitude, les filles démissionnent pour se marier, mais ce n'est pas le cas de Yûko qui se propose de partir à l'étranger. Je me demande ce qu'elle va faire après son voyage.

Je suis en train de rédiger mon rapport sur le marché de Singapour, que je dois terminer dans le courant de la journée. Je regarde ma montre : une heure moins le quart de l'après-midi. À deux heures, je dois participer à une réunion de mon service. Je me prépare à sortir prendre mon repas dans un restaurant près d'ici.

En débarrassant le bureau des papiers qui traînent, je vois de nouveau le calendrier. Je me rends compte que je n'ai rien prévu de particulier pour demain soir, ce qui est rare. Je pense à Yûko. À cause de mon voyage d'affaires à Singapour, j'ai manqué mon cours de français deux fois et je ne suis pas allé non plus au café Torêhuru, où je la vois. Comme je ne peux pas attendre la prochaine rencontre du mardi, je décide alors de l'inviter à dîner demain. Elle est aussi occupée tous les jours après son travail. Je souhaite qu'elle soit libre et puisse accepter ma première invitation hors du café.

Je descends au rez-de-chaussée, où se trouve la réception.

«Elle est là, seule!» Il y a toujours deux réceptionnistes au poste, mais maintenant l'autre doit être en pause du midi. Je remarque sur le comptoir un vase d'ikebana avec des fleurs de prunier élégamment arrangées. Yûko m'aperçoit et sourit. Malheureusement, elle doit aussitôt s'occuper d'un visiteur tout juste arrivé. Je demeure devant l'ascenseur quelques instants.

Le visiteur se met à parler avec Yûko. Il porte un complet-veston chic. «Qui est-ce?» Curieux, je jette un coup d'œil sur son visage, aussi distingué que sa tenue. Il a l'air d'être dans la trentaine. Je m'approche. J'entends Yûko lui expliquer la direction pour aller au bureau du président-directeur général. Ce doit être quelqu'un d'important. L'homme ne quitte pas Yûko tout de suite. Tout à coup, il s'exclame :

— Voilà le printemps! Les fleurs de prunier répandent leur parfum.

Il regarde vers l'ikebana. Yûko sourit. Il demande :

— Qui a arrangé ces fleurs?

— C'est moi.

— C'est vrai ? Comme c'est raffiné !

— Merci, monsieur.

— À propos...

Il me semble qu'il s'attarde à bavarder. Je renonce à attendre mon tour et vais au bout du comptoir de la réception où se trouve la boîte d'enquête. J'écris mon message dans un espace du questionnaire :

« Demain soir à sept heures, peux-tu me rejoindre au café *Mitsuba* ? Ensuite, si l'on dînait ensemble quelque part ? »

Je le mets dans la boîte et sors en souhaitant qu'elle l'ouvre elle-même.

Je vais dans un petit restaurant du quartier, l'un de mes préférés, qui sert de bons menus japonais à prix raisonnable. J'y reviens toujours après un voyage à l'étranger. Puisque l'endroit se situe un peu à l'écart du boulevard, les gens de notre compagnie ne le fréquentent pas beaucoup.

Je suis donc étonné quand j'y rencontre Nobu. En fait, je ne lui ai pas parlé depuis la dernière fois où il a voulu me présenter une fille. Il est tout seul à la table du fond. Dès qu'il m'aperçoit, il me fait signe d'approcher.

— Salut, Nobu !

— Je viens d'arriver. On peut manger ensemble, si tu veux.

J'accepte son invitation. En m'installant devant lui, je remarque qu'il ne porte pas son insigne de la compagnie Goshima.

Nobu est son surnom, son vrai nom est Nobuhiko Tsunoda. Nous sommes de la même promotion. Il travaille au service du personnel, il est chargé du recrutement des lycéens. Je me souviens qu'il est originaire de Kobe, comme Yûko. C'est un chrétien. Il est marié et a deux enfants, le deuxième est né récemment. Sa femme est infirmière. Ils se sont connus dans le club de lecture de la Bible organisé par leur église.

Je lui demande :

— Quoi de neuf ?

— Je m'occupe maintenant des stagiaires. Il y en a deux : l'un affecté à notre siège social et l'autre à la succursale d'Osaka.

Une serveuse vient prendre notre commande. Nobu choisit le menu tempura et moi, le menu sushi. Il continue à parler des stagiaires, notamment de celui d'Osaka, qui paraît plus amusant que l'autre. Ensuite, il me pose des questions sur mon voyage à Singapour. Je lui résume mon séjour en insistant sur la présence du président de la banque Sumida dont je me suis occupé. Il m'écoute sans prêter attention. Je change de sujet :

— Ta femme, comment va-t-elle ?

Il répond, l'air content :

— Merci, elle va très bien.

Il me montre des photos sur lesquelles sa femme tient leur nouveau-né dans ses bras. Le bébé bâille. Mon regard se fixe sur le sourire de sa femme. Je pense un moment à Yûko.

— Il y a beaucoup de choses à faire pour les enfants, dit-il. C'est bien que je travaille à la division administrative, car je n'ai pas besoin de voyager ou de vivre à l'étranger.

Je murmure :

— Tout à fait.

Il passe pour un *aïsaïka*. Depuis son mariage, il rentre à la maison directement alors que la majorité d'entre nous fréquentons les bars ou les restaurants jusque tard dans la nuit. Il ne joue ni au golf ni au mah-jong. C'est évident qu'il s'isole ainsi de ses collègues. Quoiqu'il expédie bien ses affaires, d'après ce que j'ai entendu dire, il n'est pas apprécié par son supérieur à cause de son attitude distante. D'ailleurs, ce supérieur n'aime pas le fait que Nobu est chrétien. En réalité, quand on prononce le mot *aïsaïka*, c'est plutôt pour ironiser sur quelqu'un comme Nobu, qui ne s'intéresse pas assez à son avancement professionnel.

La serveuse nous apporte les plats. Nobu me demande, en remettant les photos dans sa poche :

— Pourquoi tu ne te maries pas ?

— Je le voudrais bien, mais ce n'est pas facile de trouver une fille qui puisse supporter la vie d'un *shôsha-man* comme moi. Elle doit comprendre la nature de mon métier, être sociable et parler au moins l'anglais pour habiter à l'étranger.

Il dit, sérieux :

— Alors, il n'y a qu'«elle» qui soit parfaite pour toi !

— Voilà, ça recommence ! Je te répète que je n'aime pas le *miaï*.

— Ne sois pas si entêté, Takashi. C'est vraiment une bonne fille. Tu la connais aussi.

« Je la connais ? » Je réfléchis. Bien que je n'aie aucune intention d'accepter cette proposition, je demande avec curiosité :

— Qui est-ce ?

Il répond avec un grand sourire :

— Mademoiselle Yûko Tanase ! La réceptionniste !

— Quoi ?

Je suis embarrassé : « Nobu voulait donc me présenter Yûko ! » Je ne sais quoi répondre. Je suis sûr que Nobu n'est pas au courant de nos rencontres au café. Il insiste :

— C'est un bon choix, n'est-ce pas ?

Je bégaie :

— Oui... mais c'est un beau rêve pour tous les célibataires de la compagnie.

Il m'ignore et mange son tempura de crevette grise avec appétit.

— À vrai dire, dit-il, je connais bien sa famille depuis des années.

Je suis étonné :

— Comment ça ?

Nobu m'explique que leurs familles étaient voisines à Kobe et qu'il était l'ami du frère de Yûko. Quand Nobu avait seize ans, ses voisins ont déménagé à Tokyo. Yûko avait alors dix ans. Maintenant, comme il habite aussi à Tokyo, il garde le contact avec la famille Tanase, surtout avec le frère de Yûko. En fait, Nobu a recommandé à Yûko d'entrer dans la compagnie Goshima. Lorsque le père de Yûko lui a demandé s'il connaissait quelqu'un d'idéal pour sa fille, Nobu a pensé à moi. Malheureusement, dit-il, j'ai refusé sa proposition de rencontrer cette fille. Comme je reste muet, il me taquine :

— Je crois que Yûko et toi formeriez un couple bien assorti. Réfléchis bien, Takashi !

Nous nous quittons devant le restaurant, car Nobu doit acheter un journal. Il est deux heures moins dix. Je me dépêche, la réunion de mon service commencera bientôt.

En marchant, je songe au message que j'ai laissé à Yûko tout à l'heure. Je souhaite vraiment qu'elle accepte mon invitation afin que je puisse lui déclarer mes sentiments. Maintenant, je suis reconnaissant à Nobu, qui m'encourage à épouser Yûko. Je ne lui ai pas parlé de notre rencontre au café, mais si tout va bien demain soir, je le mettrai au courant bientôt.

J'ouvre la porte d'entrée. À la réception, Yûko est occupée au téléphone. Sa collègue, l'autre réceptionniste, bavarde avec deux jeunes hommes. En m'approchant, j'entends un accent de Kansai. Ça doit être celui du stagiaire d'Osaka, dont Nobu m'a parlé au restaurant. Yûko raccroche et me salue poliment :

— Bonjour, monsieur Aoki.

Un moment, les hommes me regardent et s'inclinent légèrement. La collègue de Yûko leur dit de prendre l'ascenseur pour se rendre au troisième étage, où se trouve le bureau du personnel. Yûko me demande, le regard tendre :

— La mission à Singapour s'est-elle bien passée ?

— Oui, très bien.

Elle se lève de sa chaise et dit discrètement :

— Un message pour vous, monsieur Aoki.

D'un air significatif, elle me tend un papier sur lequel est écrit :

« D'accord. Demain soir, on se verra au café *Mitsuba* à sept heures. »

Je jubile. « Elle a accepté ! » J'essaie de garder mon calme :

— Merci, mademoiselle Tanase !

Je mets le papier dans la poche de ma chemise et je me dirige vers les ascenseurs. Les deux hommes me suivent. J'entends l'un d'eux chuchoter derrière moi :

— Elle est belle, non ?

L'autre demande :

— Laquelle ?

— Mademoiselle Tanase, bien sûr ! Ses manières sont distinguées.

— En effet. Quel est son prénom ?

— Yûko. C'est joli, n'est-ce pas ?

— Mon Dieu... Tu es déjà amoureux d'elle !

J'ai un coup au cœur.

— À propos, continue-t-il, j'ai appris qu'elle est originaire de Kobe.

— Ah, ça s'explique ! Je comprends maintenant pourquoi elle est si charmante. J'admire les filles de Kobe !

Je n'ai jamais visité cette ville maritime, connue pour ses panoramas nocturnes, ses quartiers chics, son *Kobe-beef*, etc. J'espère qu'un jour je pourrai y aller avec Yûko.

Un ascenseur s'ouvre. J'y entre et les deux stagiaires me suivent. Resté au fond, je regarde celui qui parle toujours de Yûko. Il porte une cravate vert foncé qui attire mon attention, la couleur me rappelle celle du trèfle. Je sors la note que Yûko m'a donnée et fixe le mot *mitsuba*. C'est la première fois que nous utilisons ce mot au lieu du vrai nom du café, Torêhuru. Les paroles de Nobu, « C'est une fille parfaite pour toi ! », tournent dans ma tête. Je souris.

À mon arrivée au bureau, le chef de section me dit d'aller tout de suite voir monsieur Toda, chef du département des affaires étrangères. Il ajoute que je pourrai être en retard à la réunion, qui doit commencer dans quelques minutes. Je lui demande de quoi il s'agit, mais il répond seulement : « J'espère que ce sera une bonne nouvelle pour toi ! »

Monsieur Toda m'accueille avec un grand sourire et m'invite à m'asseoir dans le fauteuil. Je ne comprends pas ce qui se passe. Il me demande :

— Tu t'es bien amusé en pilotant monsieur Sumida dans Singapour ?

— Pardon ?

Je réfléchis un instant :

— C'est vous qui m'avez envoyé cet ordre !

Il éclate d'un rire franc :

— Exactement, mon vieux !

Il est de bonne humeur. Curieux, je le regarde s'installer en face de moi. Il aborde le sujet lentement :

— Ce matin, nous avons reçu la visite du fils de monsieur Sumida.

« Le fils de monsieur Sumida ? » Ça doit être l'homme que j'ai vu à la réception peu avant de sortir déjeuner. Il demandait à Yûko la direction du bureau du président-directeur général. Pourtant, je ne comprends pas quel rapport il y a entre lui et moi. Monsieur Toda poursuit :

— Il est venu, au nom de son père, remercier notre compagnie pour les services que la succursale avait offerts à son père, surtout ton accompagnement.

— Vraiment ?

— Oui. Selon lui, son père se réjouit d'avoir rencontré un jeune homme comme toi, qui parle le chinois et qui est bien accueilli par les Singapouriens.

Je m'exclame :

— Alors, ma mission a été un grand succès !

— Tout à fait !

Très content, monsieur Toda me pose des questions sur les moments que j'ai passés avec ce personnage très important pour la compagnie Goshima. En lui répondant, je souligne que c'est grâce à l'aide du chef adjoint chinois que j'ai pu donner au président de bonnes informations sur la ville. Monsieur Toda écoute, l'air satisfait. Lorsque je m'arrête, il me demande :

— Au fait, ton français progresse-t-il bien ?

— Oui, assez bien, ai-je répondu sans savoir pourquoi il a posé une telle question qui n'a aucun rapport avec ma mission à Singapour.

Voilà cinq ans que j'apprends cette langue. Je ne peux plus fréquenter régulièrement l'Académie Kanda à cause de mes voyages d'affaires, mais je peux maintenant m'occuper, à l'occasion, des clients français qui viennent à notre firme et qui ne comprennent ni le japonais ni l'anglais.

Toujours de bonne humeur, monsieur Toda dit :

— Écoute, mon vieux. On compte t'envoyer trois ans à la succursale de Paris lors du prochain remaniement du personnel. Cela est encore officieux. On annoncera la décision finale le 17 de ce mois.

Je suis excité :

— Quel honneur !

C'est une nouvelle totalement inattendue, comme l'ordre à Singapour que j'ai reçu à la dernière minute. Cependant, cette fois-ci, je suis ravi de l'avoir apprise. Je voulais vivre à Paris au moins une fois durant ma carrière.

Monsieur Toda parle de cette succursale, qui est maintenant un établissement avec personnalité juridique, dont la moitié des employés sont Français. On y vend principalement des produits électroniques, comme à Singapour. Il souligne que même s'il ne représente que cinq pour cent de nos bénéfices, c'est l'endroit le plus important après Düsseldorf : notre firme souhaite en effet étendre son marché en Europe aussi fortement qu'en Asie et qu'aux États-Unis. Et mon poste, dit-il en souriant, sera celui de sous-chef de bureau. Voilà de quoi me réjouir : « Quelle chance, j'ai hâte d'y aller ! »

Monsieur Toda ajoute que monsieur Sumida va régulièrement à Paris, où il possède une succursale de sa banque et où habite sa fille, dont le mari travaille à l'université de Paris en tant que chercheur en biologie. Naturellement, il visite notre succursale et on s'occupe de lui au besoin.

— Pour toi, ce sera un nouvel horizon, dit monsieur Toda, mais on croit que tu te débrouilleras bien comme d'habitude. Tu es l'un des espoirs de notre compagnie. Bon courage !

Je suis tellement flatté que je ne sais plus quoi dire. Il me répète la date de l'annonce de la décision finale sur ma mutation : le 17 mars. C'est le jour où Yûko quitte son emploi ! Il ne reste que treize jours jusque-là. Mes sentiments sont mêlés. Je souhaite vivement qu'elle accepte ma demande en mariage.

Monsieur Toda me dit justement :

— Il serait idéal que tu te maries. Tu sais bien que, dans la société occidentale, les gens circulent en couple.

Je reste silencieux en pensant toujours à Yûko.

Il demande :

— As-tu déjà quelqu'un en vue ?

Je murmure :

— Non, mais...

Il dit immédiatement :

— Je pourrais arranger un *miaï* pour toi ! Comme tu sais, ma femme est maîtresse de cérémonie du thé, elle connaît plusieurs filles nubiles parmi ses élèves.

— Je vous remercie de vos attentions, dis-je, mais je ne suis toujours pas à l'aise avec l'idée du *miaï*.

— Ah bon...

Il n'insiste pas, mais il me taquine :

— Tu finiras peut-être par épouser une Française !

Au moment où je quitte le bureau, monsieur Toda me regarde, l'air ému :

— Ton père serait heureux s'il était vivant.

Je m'incline vers lui profondément. Il aura soixante ans dans trois mois et prendra sa retraite à son anniversaire. Je retiens mes larmes en songeant qu'il ne sera plus ici quand je reviendrai de Paris.

À vrai dire, mon père a été aussi *shôsha-man* de la compagnie Goshima. Je ne l'ai jamais dit à mes collègues et je ne sais pas si quelqu'un comme Nobu, qui travaille dans le service du personnel, est au courant. Quant à Yûko, je lui ai seulement dit qu'il est décédé d'une maladie il y a onze ans.

Le malheur de mon père est arrivé au cours d'un voyage d'affaires à Londres. Une crise cardiaque l'a foudroyé à la sortie d'un restaurant. Ce fut une mort instantanée. Cette nouvelle nous a tous bouleversés : mon grand-père, ma mère, ma petite sœur et moi. Mon père n'avait que quarante-cinq ans. J'étais en dernière année de lycée et ma petite sœur, en première année de collège.

Le jour des funérailles, nous avons reçu une carte postale de mon père. C'était rare qu'il nous écrive pendant ses voyages. Ma mère m'a dit qu'il avait dû avoir une prémonition. Le cachet de la poste indiquait le matin même du jour où il est mort.

« Il est dix heures du soir. Je suis dans un hôtel à Düsseldorf, en Allemagne. Demain, tôt le matin, je dois partir pour Londres. Je suis fatigué, il faut me coucher maintenant. Néanmoins, toujours pris d'insomnie, je serai incapable de m'endormir tout de suite... Tout à l'heure, dans un kiosque de la gare, j'ai vu de jolies cartes postales. J'en ai acheté une pour vous écrire... »

Aux funérailles, j'ai rencontré monsieur Toda, alors chef adjoint du département des affaires étrangères. Il m'a présenté ses sincères condoléances et dit combien la compagnie était reconnaissante envers mon père. « Il a donné sa vie non seulement pour nous, mais aussi pour notre nation. Il a travaillé de toutes ses forces, particulièrement pendant la dure période de l'après-guerre. Il avait tout le temps à cœur l'avenir du Japon. » Monsieur Toda m'a aussi dit que la compagnie Goshima m'accueillerait volontiers si je le souhaitais, après mes études universitaires.

Ma mère n'a pas pu toucher l'argent de l'assurance contre les accidents du travail, mais elle a reçu de la firme une somme équivalant à la prime de départ prévue pour mon père. Elle m'a dit qu'avec ce montant je pourrais aller à l'université d'État, qui était beaucoup moins chère qu'une institution privée. Elle-même a commencé à travailler dans une compagnie alimentaire comme femme de service. En fait, la compagnie Goshima lui avait offert un emploi, mais elle l'avait décliné sans hésitation, bien que cette offre fût bien meilleure que l'autre. Malgré l'infortune de mon père, j'étais impressionné par les attentions de la compagnie pour la famille d'un défunt.

J'ai considéré sérieusement les paroles de monsieur Toda à propos de l'invitation de la compagnie Goshima. Cependant, je n'ai pas voulu être accepté à cause de mon père. Alors, j'ai décidé d'étudier l'économie à l'université et d'apprendre des langues étrangères à l'école privée. Sans connaître mes plans, ma mère et mon grand-père étaient contents de me voir travailler avec zèle pour le concours d'entrée de l'université que j'avais choisie.

C'est pendant ma quatrième année à l'université que mon grand-père est décédé d'un cancer de l'estomac. Sa mort a été plutôt subite et pendant quelque temps je suis resté désorienté. Il avait été tout le temps à nos côtés, à ma sœur et à moi. Quand notre père était absent, il s'occupait de nous comme un père. Sa présence était précieuse pour nous. Je suis alors devenu le seul homme dans la famille, je me sentais responsable de ma sœur et ma mère. Je les ai aidées autant que je pouvais jusqu'à la fin de mes études.

En 1974, je me suis présenté à l'examen d'entrée de la compagnie Goshima, qui était toujours l'une des plus populaires chez les étudiants qui souhaitent devenir *shôsha-man*. J'ai demandé un poste d'attaché commercial. Monsieur Toda était devenu le chef du département des affaires étrangères. C'était l'année qui a suivi la crise du pétrole. Puisque la plupart des entreprises avaient déjà réduit le nombre de nouveaux employés, la concurrence était très sévère. Beaucoup de mes collègues qui s'y sont présentés comme moi n'ont pas eu de chance.

Lors de l'entrevue, le directeur du personnel a apprécié mes excellentes notes et ma capacité de parler deux langues étrangères : l'anglais et le mandarin. Il a aussi remarqué mon caractère énergique. Au lycée, j'avais fait du tennis et été une fois champion lors d'une compétition régionale. À l'université, j'avais gardé ce sport comme passe-temps.

Plus tard, monsieur Toda m'a appris que j'avais été choisi en premier parmi les candidats finals. Il m'a répété : « Ton père serait content de toi ! »

Quant à ma mère, elle semblait embarrassée que je sois devenu *shôsha-man* dans la même compagnie que mon père. Pourtant, plusieurs membres de la famille Aoki y travaillaient depuis longtemps et j'en étais fier.

Vers neuf heures du soir, je termine enfin le rapport de mon étude de marché à Singapour. Je téléphone à ma mère, qui me demande : « Ah, Takashi ! Où es-tu ? » Je réponds : « Au bureau. J'ai tellement faim, je prends un taxi et j'arrive dans une demi-heure. »

Elle habite seule depuis que ma petite sœur s'est mariée l'année dernière. Elle travaille toujours dans la même compagnie alimentaire. Sa vie est modeste. Elle ne voyage plus. Je ne comprends pas pourquoi elle n'a pas accepté l'offre d'emploi dans notre compagnie, mieux payé et doté de meilleurs avantages. Il est vrai cependant que je n'aurais pas été à l'aise d'entrer dans la compagnie si ma mère y avait déjà été embauchée.

Ma mère m'a préparé un repas chaud. Assis à la table de la cuisine, je mange en écoutant des nouvelles de ma petite sœur, enceinte de trois mois. Lorsque je finis le repas, j'aborde le sujet de ma mutation.

— À Paris ?

Elle me regarde avec stupéfaction et demande :

— Combien d'années tu vas y rester ? Plus d'une ?

— Trois ans.

Elle s'exclame :

— Trois ans ! C'est long !

— Je t'inviterai là-bas.

— Quand vas-tu partir ?

— Dès que j'obtiendrai le visa nécessaire.

J'explique brièvement ma mission. Elle prend un air inquiet :

— À ton âge, il n'est pas trop tôt pour recevoir une telle promotion ?

— Les temps ont changé, maman. Les promotions ne sont pas toujours par ordre d'ancienneté. Nous sommes de plus en plus en relation d'affaires avec des étrangers. C'est naturel que la firme favorise des gens comme moi, capables de négocier avec des clients en langue étrangère.

— Veille quand même à ne pas susciter l'antipathie ou la jalousie de tes collègues.

— Je sais.

Ensuite, je raconte ce que j'ai fait à Singapour outre l'étude de marché : accompagner le président de la banque Sumida, ce qui lui a beaucoup plu. Ma mère m'écoute, curieuse. Elle connaît bien l'importance de ce personnage, car mon père lui en parlait. D'ailleurs, mon oncle, le frère cadet de mon père, est un employé de cette grande banque. Elle l'entend parler de la famille Sumida. Pourtant, lorsqu'elle apprend que monsieur Toda

m'a confié cette mission, son visage s'assombrit.
Elle murmure :

— Encore monsieur Toda...

Je souligne que les gens savent que monsieur
Toda m'accorde un traitement de faveur, mais
que je ne le flatte pas ni recherche son aide. Il a
certainement de la commisération pour moi en
raison de mon défunt père. Pourtant, il est évident
que la compagnie m'a admis avec les autres sur
le même pied et qu'elle apprécie maintenant ma
compétence, surtout ma capacité de pratiquer trois
langues étrangères. Ma mère m'écoute sans mot
dire et puis demande brusquement :

— Tu penses rester célibataire ?

J'ai un coup au cœur. Il est rare qu'elle me
pose des questions aussi directes sur ce sujet. À
la différence des parents de mes amis, elle est
toujours discrète à propos de mon mariage. Je
réponds en ayant l'image de Yûko :

— Bien sûr que non !

— Alors, est-ce que tu as de bonnes relations
avec quelqu'un ?

Je ne sais comment répondre à sa question. Je
mentionne ma rencontre avec Yûko à l'Académie
Kanda, sans dire son nom. Elle demande, avec
hésitation :

— Comment est-elle ?

Je regarde son visage durci.

Ma mère n'est pas comme Yûko, qui s'intéresse
à la vie à l'étranger. Je me rappelle l'époque
où nous avons vécu à Helena, aux États-Unis.

J'avais huit ans et ma sœur, trois ans. Ma mère a souvent reçu l'invitation de voisines très sympathiques, mais, trop timide, elle était incapable d'accepter. Elle ne comprenait pas bien l'anglais et avait même peur de répondre au téléphone. Graduellement, elle s'est mise à souffrir d'une névrose. Au bout de deux ans, nous sommes revenus au Japon sans mon père, qui devait y demeurer encore deux ans. À cause de cette expérience amère, ma mère craint que je ne choisisse quelqu'un comme elle.

— Ne t'inquiète pas, maman. Cette fille est d'un caractère ouvert. En plus, elle parle anglais et français. C'est une maîtresse de *koto*.

— Vraiment ?

Je continue de parler de Yûko et, lorsqu'elle mesure bien sa personnalité, son expression s'adoucit enfin :

— Cette fille me semble être une personne de tête.

Soulagé, j'avoue :

— Demain soir, je compte la demander en mariage.

Elle est excitée, ses yeux brillent de joie :

— Demain soir ? J'espère apprendre la bonne nouvelle. J'ai hâte de la rencontrer.

Le lendemain, je ne tiens pas en place. Au travail, je songe constamment au rendez-vous de ce soir avec Yûko. Nous sommes le vendredi 5 mars. Si elle accepte ma demande en mariage, le 17 nous pourrons fêter ensemble son anniversaire. Pourtant, je me demande toujours comment aborder ce sujet si important, tout en sachant qu'elle n'envisage pas d'épouser un *shôsha-man*.

Je suis occupé toute la journée. Vers six heures quarante, je quitte enfin le bureau en déclinant net toutes les invitations à boire, même celle de monsieur Toda. Je me sens mal à l'aise. En effet c'est la première fois que j'agis ainsi.

Quand j'arrive au café *Mitsuba*, il est déjà sept heures dix.

La jeune serveuse habituelle m'accueille en souriant : « Votre compagne vous attend. » Sa façon de parler est toujours agréable. Selon Yûko, qui bavarde à l'occasion avec elle, cette lycéenne est la nièce du propriétaire. Ses parents sont morts dans un accident de voiture lorsqu'elle était toute jeune. Chaque fois que je vois son visage, je me rappelle l'époque où mon père est décédé.

Je cherche Yûko des yeux. «Ah, elle est là!» Installée à la table près de la fenêtre, elle lit un livre. Je vois son manteau orange de printemps accroché au portemanteau. Dès qu'elle lève la tête, elle m'aperçoit et sourit. Un peu nerveux, je dis:

— Désolé, j'ai été appelé par monsieur Toda au moment de sortir du bureau. Il voulait m'inviter à manger des tempuras.

L'air surpris, elle dit:

— Comment osez-vous refuser une invitation pareille? C'est un chef de département!

Elle me vouvoie tout le temps comme si nous étions au travail. C'est aussi en raison de mon âge, j'ai six ans de plus qu'elle. Je m'assieds. Elle remet le livre dans son sac. Je jette un coup d'œil sur la couverture, dont le titre est Québec avec l'image d'une grande église. C'est un guide touristique.

— J'ai dit à monsieur Toda que ce soir je devrais passer un examen de français très important.

Elle s'écrie:

— Quel mensonge! Vous auriez pu me téléphoner ici pour annuler notre rendez-vous. Je connais bien le monde des salariés comme mon père et mon frère.

Elle a l'air mi-sérieux. Elle a raison. Aller boire après le travail, c'est une coutume qu'on ne peut ignorer. Si l'on souhaite rester dans la même compagnie, il faut accepter ce mal nécessaire, car cette obligation régit les relations humaines au sein de la société japonaise. Honnêtement, je ne comprends pas le comportement de Nobu. Je souris amèrement :

— Merci de ton conseil, mais ne t'inquiète pas. Monsieur Toda a compris, c'est lui qui m'a encouragé à apprendre le français. Et voilà, je suis ici, devant mon professeur Tanase.

Elle fait une mine stupéfaite :

— Quelle effronterie ! En plus, vous abusez de moi. C'est encore pire !

Je ris. La serveuse nous apporte deux cafés, comme d'habitude. Yûko lui adresse la parole. La fille lui dit qu'elle a été reçue au concours de l'université de son premier choix. Yûko la félicite. Je les écoute parler agréablement. Lorsque la fille nous quitte, Yûko me demande en imitant un professeur sévère :

— Alors, monsieur Aoki, dites-moi comment se sont passées vos deux semaines à Singapour.

— Bien volontiers, madame Tanase ! J'ai été très occupé tous les jours par l'étude de marché. Et un après-midi, il m'est arrivé quelque chose d'inattendu.

Yûko ouvre grand les yeux. Son regard est rempli de curiosité. Elle me taquine :

— Vous êtes tombé amoureux d'une Malaise charmante !

— Je souhaite que tu aies raison, dis-je d'un ton ironique.

— Qu'est-ce qui est arrivé ?

Je parle du président de la banque Sumida dont je me suis occupé. Elle s'exclame aussitôt :

— Quel honneur !

Elle connaît bien l'importance de ce personnage, qui soutient non seulement notre compagnie mais aussi celle de son père. Lorsque j'explique pourquoi il est allé à Singapour, Yûko m'interrompt :

— À propos, son fils est venu ce matin voir notre président-directeur général.

— Je sais. Il est venu de la part de son père pour nous remercier de notre accueil à Singapour. Comment était-il ?

— C'est un gentleman. Il m'a parlé en bien de l'ikebana que j'avais fait pour le comptoir de la réception. Il a trouvé tout de suite que c'était de l'école Sôgetsu. Cela m'a impressionnée.

— Ah bon...

— Selon ma collègue, il refuse toutes les propositions de *miaï* que ses parents lui font. Elle se demande s'il a des ennuis de santé ou quelque chose.

Je murmure :

— Il a peut-être une amoureuse, mais il ne peut pas la présenter à sa famille pour une raison particulière...

— C'est bien possible, dit-elle franchement.

— Quel est son prénom ?

Yûko répond en toute certitude :

— Takashi. C'est facile pour moi de le retenir parce que c'est le même que le vôtre.

Je regarde son visage. Mon cœur se met à battre à grands coups. Je me dis : « Il faut que j'aborde mon sujet maintenant. » Je reprends haleine et lui annonce la décision officieuse de ma mutation à Paris. Elle s'exclame de nouveau :

— Félicitations ! Ça doit être un avancement exceptionnel.

Elle n'a pas l'air triste de mon départ. Au contraire, elle me sourit :

— Moi aussi, j'ai une bonne nouvelle.

— Qu'est-ce que c'est ?

— Je vous la raconterai tout à l'heure. Sortons d'ici maintenant. J'ai envie de manger des tempuras pour fêter votre succès.

— Des tempuras ? Bonne idée, mais je crains que nous ne rencontrions monsieur Toda dans le même restaurant.

Elle sourit d'un air très coquin :

— Ne vous inquiétez pas, monsieur Aoki. S'il nous trouve ensemble, je pourrai lui dire que je suis votre professeur de français et que ce soir vous devez passer un examen très important en tant que salarié. La question est : « Comment décliner l'invitation imprévue de votre supérieur quand vous avez déjà rendez-vous avec votre petite amie ? »

— J'abandonne !

Elle se lève et prend son manteau de printemps. En la suivant, j'éprouve une vague inquiétude sur sa bonne nouvelle, bien que je n'aie aucune idée de ce dont il s'agit.

Fatigué, je me mets au lit. Il est une heure du matin. Nous sommes le samedi 6 mars.

Yûko m'a quitté, il y a trois heures, devant la station de métro Kanda. Elle était pressée, elle devait se préparer pour un court voyage à Kobe, où son cousin est hospitalisé. Cela veut dire qu'elle s'y rendra aujourd'hui, après son travail. J'ai appris qu'elle prendrait le *shinkansen* de dix-huit heures. « Les tempuras étaient délicieux ! m'a-t-elle dit. Merci beaucoup, et encore félicitations pour la nouvelle de votre mutation à Paris. À demain ! » Elle s'est dirigée vers l'accès aux guichets sans se retourner. Je regardais la couleur orange de son manteau disparaître dans la foule.

Je suis complètement déçu par ce que Yûko m'a raconté au restaurant. L'excitation du succès de ma mission à Singapour et de la nouvelle de ma mutation à Paris s'est totalement évaporée. Je n'arrive même pas à me rappeler le goût des tempuras.

Elle a trouvé une famille québécoise à Montréal chez qui rester pendant trois mois. La date de son départ est déjà fixée : le 15 mai. C'est au début de ce mois, selon elle, que la saison de la nouvelle verdure arrive enfin au Québec. Ce qui m'a terriblement déçu, c'est quand je lui ai demandé ce qu'elle allait faire après ce voyage. Elle a répondu comme si ç'avait été une chose terre à terre : « Je me marierai. » Choqué, j'ai bégayé : « A... avec qui ? » « Avec un ingénieur du ministère de la Construction, que mes parents m'ont proposé. »

Après l'avoir accompagnée à la station Kanda, j'ai marché sans but. Ensuite, je suis entré dans un bar tranquille où il n'y avait que trois clients. On y jouait du jazz moderne. Je me suis installé au comptoir et j'ai commandé du whisky à l'eau. Je devais avoir mauvaise mine, le barman m'a demandé : « Avez-vous eu une déception amoureuse ? »

Il était presque minuit quand je suis sorti du bar. J'errais dans une ruelle où s'alignaient des *nomiya* l'un après l'autre. Des entraîneuses en kimono ou en robe occidentale y entraient et en sortaient avec des hommes. Le visage exagérément maquillé, elles poussaient des cris étranges. La plupart des hommes semblaient être des salariés, comme moi. Ils étaient tous ivres.

— Hé, là-bas ! C'est à vous que je parle.

Je me suis retourné vers la voix. C'était un *ékisha* à la barbe blanche. Il était assis devant une petite table couverte d'un tissu blanc. Il m'a dit :

— Vous allez bientôt partir à l'étranger, n'est-ce pas ?

Étonné, je me suis approché de lui et j'ai demandé avec curiosité :

— Comment vous pouvez le deviner ?

Il a souri :

— Je ne devine pas. Je vois.

— Alors, dites-moi dans quel pays je serai.

— Si vous voulez en savoir plus, il faut payer cinq mille yens.

« Trop cher ! » J'ai hésité un instant, puis j'ai payé le montant. L'*ékisha* m'a invité à m'asseoir sur le tabouret posé devant la table. Il a fixé les yeux sur mon visage et dit :

— Je vois une grande église au bord d'une grande rivière. Devant, des touristes prennent des photos. C'est curieux, il y a toutes sortes de races : blanche, jaune, noire. Désolé, je ne peux dire le nom du pays, mais ça doit être en Europe.

J'ai imaginé la Seine et la cathédrale Notre-Dame que j'ai visitée une fois avec ma famille. L'*ékisha* a continué :

— Je vois un défilé. Les gens marchent en manteau vert, en chapeau vert, en cache-nez vert... et le motif du trèfle est omniprésent. Il neige.

« Trèfle ? » Je n'ai pas compris de quoi il s'agissait. J'ai demandé :

— Où suis-je ?

— Vous êtes à la fenêtre avec votre femme et votre fille. Vous trois regardez le défilé. Vous avez une autre fille, qui vous rejoindra bientôt.

— Ma femme est-elle Japonaise ?

— C'est possible. Ses cheveux sont noirs et son visage, asiatique.

« Ridicule. » Je murmure dans mon lit. Je n'aime pas du tout les *ékisha* ni les gens qui les consultent. Il fallait que je sois vraiment déprimé. Je me lève pour aller au cabinet de toilettes. En me lavant la figure, je me rappelle que Yûko disait que le trèfle est le symbole de la promesse.

Je suis allé au coin du petit salon où se trouvent mes dictionnaires et mes encyclopédies. Je les ouvre l'un après l'autre en cherchant ce mot. « Le symbole national de l'Irlande... La Saint-Patrick (17 mars) est fête nationale... Le trèfle s'appelle *shamrock* en irlandais. » Je suis curieux : « Ça veut dire que la compagnie m'enverra aussi en Irlande ? » Je m'arrête sur la date du 17 mars, l'anniversaire de Yûko.

Il est déjà presque deux heures. Trop énervé, je n'arrive pas à dormir. Je me demande toujours si Yûko s'est vraiment décidée à épouser un ingénieur du ministère de la Construction. Je pense un moment au barman, qui m'a dit en écoutant mon histoire d'amour déçu : « Mais vous ne lui avez jamais avoué vos sentiments ! »

Au matin, je vais au bureau avec un gros mal de tête. Je regrette d'avoir trop bu la veille. Dès mon arrivée, je reçois un coup de téléphone de ma mère.

— Hier soir, dit-elle, j'ai appelé à ton appartement, mais tu n'étais pas là...

Je sais qu'elle voudrait savoir si mon amie, dont elle ne connaît pas le nom, a accepté ma demande en mariage. Je dis :

— J'étais au bar, seul.

— Ah bon...

Elle se tait un instant, elle doit être déçue. Comme je ne dis rien, elle me demande :

— Quand reviendras-tu à la maison ?

Je réfléchis :

— Peut-être... le 17 de ce mois, après l'annonce officielle de ma mutation à Paris.

Sa voix devient gaie :

— Alors, je t'attendrai avec un régal !

Puisque c'est samedi aujourd'hui, la compagnie ferme à quatre heures de l'après-midi. Les gens du travail général, notamment les femmes, partent à l'heure. Nous, les gens de notre service, restons jusqu'à sept heures du soir. Ensuite, certains vont au bar ensemble, d'autres au restaurant ou chez quelqu'un jouer au mah-jong, par exemple, et les derniers rentrent à la maison, comme Nobu, ce qui est rare.

Le chef de notre service m'appelle. Il me demande d'aller demain après-midi à l'aéroport Narita accueillir un client français et sa femme : monsieur et madame Bodin. Le service du personnel souhaite que je m'occupe d'eux, puisque le couple ne comprend ni le japonais ni l'anglais. Le chef me donne une photocopie de leur planning dans lequel sont indiqués tous les détails : l'heure d'arrivée du vol, le nom de l'hôtel où ils séjourneront, les endroits qu'ils souhaitent visiter... Une tâche typique d'*atendo*. J'espère que cela me distraira de ma déception amoureuse. Le chef ajoute :

— À Paris, tu devras faire des affaires aussi avec ce client. Voici une bonne occasion pour toi de le connaître.

Vers quatre heures, les femmes de notre section se préparent à rentrer. Elles sortent en saluant les autres qui restent au bureau. Le couloir résonne de leurs voix joyeuses et de leurs pas pressés. Bientôt tout devient tranquille.

Je pense à Yûko, qui prendra le *shinkansen* de dix-huit heures. J'ai encore de la difficulté à comprendre comment une fille aussi libre a pu accepter si facilement la proposition de mariage arrangé par ses parents. Les paroles du barman de la veille me reviennent. «Les femmes sont compliquées, leurs gestes envers les hommes qu'elles aiment sont souvent différents de leurs pensées.» Je regarde constamment ma montre. Graduellement je perds mon sang-froid.

Le chef revient me demander si je serai disponible ce soir. Il dit qu'il manque une personne pour jouer au mah-jong. Je réponds :

— Je suis désolé, ce n'est pas possible. J'ai mal à la tête.

Il me dévisage :

— En effet. Tu as mauvaise mine. Sans doute la fatigue du voyage. D'ailleurs, selon monsieur Toda, tu avais hier soir un examen de français.

Embarrassé, je donne une réponse floue. Il dit :

— Pars maintenant et repose-toi à la maison.

— Merci.

Il est cinq heures et demie. En rangeant les papiers qui traînent devant moi, je décide de me rendre tout de suite à la gare de Tokyo. Il me faudra vingt minutes. Je ne suis pas assuré de trouver Yûko là-bas, mais au moins je peux essayer. Au moment de quitter le bureau, le chef me rappelle sa demande d'aller à l'aéroport. En effet, j'ai failli oublier la photocopie du planning du client. Je la glisse vite dans la poche intérieure de ma veste.

Dès que je sors de l'immeuble, je cours à toutes jambes vers la station de métro la plus proche.

Lorsque j'arrive à la gare de Tokyo, il est déjà six heures moins cinq.

Je me précipite vers les quais du *shinkansen*. En courant, je me sens drôle. « Yûko ne part pas aujourd'hui pour Montréal. Pourquoi dois-je la voir en toute hâte ? »

Essoufflé, je sors de l'escalier. Sur le quai, les gens agitent la main ou s'inclinent devant les voitures. Je regarde à gauche et à droite. Bientôt, la sonnerie annonce le départ. Déçu, je me dis : « C'est trop tard ! »

— Monsieur !

Je tourne la tête vers la voix. C'est un employé de gare, qui me montre la porte latérale devant lui. Il me crie :

— Dépêchez-vous !

— Mais, je ne monte pas...

Ma voix est masquée par le bruit. Il me répète d'une voix forte :

— Dépêchez-vous !

La sonnerie s'arrête. Malgré moi, je saute dans la voiture. La porte latérale se ferme immédiatement. À travers la vitre, l'employé me sourit comme s'il me disait «Bonne chance!» Le train se met à rouler doucement et le quai s'éloigne. Je suis étonné de mon geste impulsif. Par la fenêtre, je regarde le paysage changer de plus en plus vite.

Je dois chercher Yûko. Le moyen le plus simple est de faire un appel général à travers tout le train, mais ce n'est pas discret. Il faut que je la cherche moi-même. Je me dirige dans le sens de la marche où se trouvent les voitures à places réservées.

J'entre dans la première. Les deux tiers des sièges sont occupés. Je m'avance en souhaitant ne pas croiser quelqu'un de familier, surtout un membre de la compagnie. Yûko n'est pas là. Lorsque j'entre dans la deuxième voiture, quelques mètres devant moi à droite, j'aperçois un manteau orange pendu au-dessus d'une place côté fenêtre. Mon cœur bondit. «Elle est là!» En plus, le siège du côté couloir est libre!

Je respire profondément et m'approche de sa place. Elle regarde dehors. Je m'assieds, très doucement. Sa tête est toujours tournée vers la fenêtre. Ses mains blanches sont posées sur sa jupe couleur ivoire. Sur la tablette devant elle, je remarque encore une fois le guide touristique du Québec. Au bout d'un moment, Yûko tourne la tête vers moi.

— Monsieur Aoki!

Elle s'ébahit. Je dis à mi-voix :

— Excuse-moi de te déranger.

Elle bégaye :

— Pourquoi... pourquoi êtes-vous ici ? Où allez-vous ?

Je ne réponds pas. Elle me fixe. Je dis :

— Si ma présence t'embarrasse, je change de place immédiatement.

— Non, mais je me demande si c'est une coïncidence ou non...

— Ce n'est pas une coïncidence. Je t'ai suivie.

— Vous m'avez suivie ? Pourquoi ?

Je la regarde dans les yeux et dis, sérieux :

— J'ai quelque chose de très important à te dire.

L'air désorienté, elle murmure :

— Monsieur Aoki...

— Peux-tu m'écouter ? Ce ne sera pas long. Je descendrai à la prochaine gare.

Elle reste sans mot. Je me tais aussi. Un instant après, elle rectifie sa position. Le profil de son visage aux traits fermes me saisit. Elle dit, la voix douce mais claire :

— J'écoute.

Ses mains se posent l'une sur l'autre. Je voudrais bien les prendre dans les miennes. Je commence :

— En raison de la nature de mon travail, je n'avais pas pensé sérieusement à ma vie conjugale. Cependant, dès notre première rencontre au café *Mitsuba*, j'ai changé d'avis. Je suis tombé amoureux de toi et je me suis mis à imaginer notre avenir ensemble...

Je continue. Elle demeure immobile, sans même ciller. Je n'ai aucune idée de ce à quoi elle songe. Mon regard est toujours fixé sur ses mains. J'arrête de parler. Le bruit régulier du train se fait entendre. Je lève les yeux vers le plafond. Bientôt, je me sens envahi par la fatigue. En effet, je n'ai pas assez dormi depuis le retour de mon voyage à Singapour. Je ferme les yeux.

Le visage de l'*ékisha* de la veille me revient à l'esprit. Sa barbe longue et blanche. La table couverte d'un tissu blanc. Je revois la Seine et la cathédrale Notre-Dame. Je revois aussi les gens vêtus de vert qui défilent dans la rue. Je me demande : «Alors, qui est-ce, cette femme japonaise aux cheveux noirs, qui regarde le défilé avec moi et ma fille ? »

On annonce les heures d'arrivée prévues à Nagoya, Kyoto, Osaka et Kobe. Je dois descendre à la prochaine et retourner à Tokyo. Je me dis que ce sera fatigant de faire quatre heures de trajet de jour. Je pense dormir à Nagoya ce soir au lieu de... Je commence à m'assoupir.

Tout à coup, je sens une légère pression sur ma main droite. «Yûko me touche ! » Mon sommeil s'envole. La chaleur de sa peau pénètre la mienne. L'intérieur de mon corps tremble comme s'il recevait une décharge électrique. Ému, je regarde le visage de Yûko, qui me sourit. Ses yeux se mouillent de larmes. Je pose ma main sur la sienne.

— Honnêtement, dit-elle, vous m'avez attiré dès notre première rencontre au café *Mitsuba*. Je sentais que vous m'aimiez aussi, mais je tentais de ne pas m'engager dans une relation avec vous. Comme je l'ai déjà expliqué, je ne voulais pas épouser un *shôsha-man*. Malgré tout, plus je vous ai vu, plus j'ai eu de la difficulté à refuser votre invitation. Alors, j'ai fait mes préparatifs de voyage pour Montréal pendant que vous étiez en mission à Singapour.

Je demande :

— As-tu vraiment accepté d'épouser l'ingénieur que tes parents t'ont recommandé ?

— Non. Je leur ai dit que j'allais considérer cette proposition après mon voyage.

Soulagé, je serre sa main fortement. Je voudrais bien remercier le barman pour son conseil. L'image de l'*ékisha* à la barbe blanche me revient encore à l'esprit. Je m'excite : « Alors, cette femme-là, il s'agissait bien de Yûko ! »

— Votre billet, s'il vous plaît !

Un contrôleur s'approche de nous. Yûko sort son billet de son sac à main. Je dis à l'homme :

— Je n'ai pas eu le temps d'en acheter un à la gare de Tokyo. Donnez-m'en un pour Nagoya.

Yûko m'interrompt :

— Non, pour Kobe, s'il vous plaît !

Étonné, je la regarde. Je lui apprends que demain après-midi je dois attendre un couple français à l'aéroport Narita. Elle dit franchement :

— Vous aurez le temps !

Elle répète à l'homme :

— Pour Kobe, s'il vous plaît !

Quand l'homme est parti, je fais semblant de la réprimander :

— Si je suis en retard à l'aéroport, je ne te le pardonnerai jamais !

Elle sourit :

— Ne vous inquiétez pas, monsieur Aoki. Ce client français vous félicitera si votre retard est dû à une femme.

— Tu m'as eu !

Je reprends sa main sur mon genou. Je regarde dehors. Le soleil couchant colore le ciel en rouge. C'est joli. Yûko me demande :

— Avez-vous déjà regardé le panorama nocturne de Kobe ?

— Non, pas encore.

— C'est magnifique. Je vous le montrerai ce soir. J'ai réservé une chambre avec une belle vue.

À Kobe, nous prenons un taxi et faisons l'ascension du flanc du mont Rokko. L'hôtel s'appelle Rokko S. C'est un endroit très tranquille, entouré d'une haie d'arbustes. Un lieu raffiné.

De notre chambre, on peut apercevoir la baie d'Osaka, où scintillent les lumières des bateaux flottant sur la mer. Devant nous s'étend la ville de Kobe, comme si des millions de bijoux étaient éparpillés dans un coffre.

Nous sommes assis sur le sofa installé devant la fenêtre. Nous nous tenons les mains.

Je dis à Yûko :

— Mon père a aussi été *shôsha-man* pour la compagnie Goshima.

Elle me regarde sans étonnement :

— Je sais. Nobuhiko-*san* me l'a appris lorsqu'il m'a proposé un *miaï* avec vous. Vous savez bien que c'est l'ami de mon frère depuis son enfance à Kobe. Je suis désolée que votre père soit mort si jeune.

— C'était un accident. Pourtant, la compagnie s'est occupée de lui jusqu'à ses funérailles.

— Vraiment ?

— Oui. En effet, elle a agi de façon responsable.

Je lui raconte ce que monsieur Toda m'a dit aux funérailles et ce que la compagnie a tenté de faire pour nous aider. Elle m'écoute sérieusement.

— Je lui en suis toujours reconnaissant, dis-je. D'ailleurs, c'est une excellente entreprise pour déployer mes compétences. Je suis heureux d'en faire partie.

Yûko me regarde, l'air ému.

Nous sortons sur le balcon. Le ciel est limpide et les étoiles brillent. Yûko me sourit, le regard tendre. Je la prends dans mes bras. Le panorama nocturne de Kobe est vraiment merveilleux. Je me rappelle les nuits de Singapour que j'ai passées seul en songeant à Yûko et à notre avenir. « Quel bonheur ! Nous sommes enfin ensemble. » Yûko dit :

— Peu importe où l'on vous envoie, je vous accompagnerai.

Je la serre fort contre ma poitrine.

Le lendemain, Yûko m'emmène dans un quartier chic, qui s'appelle Kitano. Le paysage est magnifique. D'ici, on peut voir sur le côté sud la mer intérieure de Seto et, sur le côté nord, le mont Rokko. Située entre eux, la ville de Kobe s'étend d'est en ouest.

Je m'exclame :

— C'est commode ! Pour ne pas perdre le chemin, on n'a qu'à se guider sur la mer ou sur la montagne.

— Tout à fait, dit Yûko. Ce n'est pas comme Tokyo où l'on se perd constamment.

Elle m'apprend que Montréal est une ville semblable à Kobe. De son sac, elle sort son guide touristique du Québec. « Regardez ici. » Elle me montre la page où apparaît la ville de Montréal. C'est une grande île qui flotte entre deux rivières. Au milieu se trouve un endroit appelé mont Royal avec des parcs et des cimetières.

— Quand j'étais là-bas, j'ai eu une sensation de déjà-vu, dit Yûko.

Elle avait gravi une pente qui menait au belvédère du mont Royal. «C'est Kobe!» s'était-elle écriée. Au loin, elle avait aperçu le fleuve Saint-Laurent semblable à la mer intérieure de Seto. Devant le mont s'étendait la ville de Montréal semblable à celle de Kobe. Elle avait aussi visité le quartier chinois. En s'y promenant, elle avait songé à celui de Kobe qu'elle avait fréquenté avec son cousin. Dans le voisinage de ce quartier, il y avait un endroit très européen, nommé le Vieux-Montréal. En descendant vers le fleuve, elle avait vu des bateaux arborant des drapeaux étrangers. De nouveau, elle avait eu l'illusion d'être chez elle.

Je l'écoute en pensant que nous pourrions aller à Montréal pour notre voyage de noces. Je demande avec curiosité :

— À propos, les femmes québécoises, comment sont-elles ?

Elle sourit :

— Bonne question! Elles sont comme nous, les femmes de Kobe.

— Comme vous? Qu'est-ce que ça veut dire ?

Elle répond, l'air très fier :

— Nous sommes vivantes et créatives ! Il y a beaucoup d'artistes et de femmes d'affaires à Kobe.

Je souris en pensant aux danseuses très dynamiques du théâtre *Takarazuka*.

Ensuite, nous avons visité un quartier typique pour touristes. Il s'appelle Kitano-Ijin-kan. On y trouve de vieux bâtiments étrangers. Yûko m'explique l'origine de chacun : l'ancienne résidence du consulat général des Pays-Bas, des États-Unis, de Chine, du Panama. Il y a aussi d'autres résidences de styles variés : anglais, français, italien, autrichien, allemand...

Yûko m'apprend aussi que dans un autre quartier il y a une synagogue et même une mosquée bâtie par des musulmans d'origine indienne et turque.

— J'oublie qu'on est au Japon, dis-je.

Yûko murmure, le regard nostalgique :

— Dans mon enfance, j'étais habituée à voir des étrangers. Kobe est unique. Elle me manque beaucoup.

Nous nous quittons à la gare de Kobe. D'ici, elle va prendre un taxi pour se rendre à l'hôpital où son cousin est soigné. J'attrape le *shinkansen* du midi pour retourner à Tokyo. Il faut que j'aille accueillir le couple français à l'aéroport Narita.

Le train n'est pas bondé. Je m'installe à une place côté fenêtre. Je regarde dehors. Il fait beau. Les fleurs de prunier sont en pleine floraison.

Je pense à Yûko. Sa peau lisse, son corps souple, ses cheveux fins comme de la soie. Je n'ai pu me détacher de son corps tout au long de la nuit. Je souris en me rappelant ce qu'elle m'a avoué dans mes bras. «Hier, dans le train, j'ai été très surprise mais très heureuse de vous trouver assis à côté de moi, parce que je souhaitais justement que vous soyez là avec moi.»

J'entends le bruit du train, régulier et confortable. Le paysage disparaît de ma vue. Je vois dans la fenêtre l'image de Yûko qui parle de ces deux villes si semblables : Kobe et Montréal.

Je sors de la station de métro Kanda et me dirige vers une boutique de livres d'occasion que je fréquentais pendant mes études. C'est tout près de l'Académie Kanda. En traversant la rue, j'aperçois quelqu'un de familier sur le trottoir de l'autre côté. «Ah, c'est Nobu!» Le jaune de son pull-over printanier se remarque. Il marche en portant de gros sacs de plastique à chaque main. Je me rends compte qu'il habite ce quartier.

— Nobu!

Il se retourne:

— Takashi! Quelle coïncidence!

J'approche de lui et vois ses sacs remplis d'articles pour bébé. Il me demande:

— Qu'est-ce que tu fais?

— Je viens d'accompagner un couple français de l'aéroport Narita à leur hôtel.

— Nous sommes dimanche. Je te plains.

— C'est un *atendo* typique. Je n'ai pas le choix.

Il jette un coup d'œil vers l'insigne de la compagnie épinglé au revers de ma veste. Son regard ironique me met mal à l'aise.

— As-tu l'occasion de porter un vêtement ordinaire ? dit-il.

Je remarque qu'il n'a pas son air habituel. Je demande :

— Qu'est-ce qu'il y a, Nobu ?

— Rien...

Il se tait un moment et dit :

— Hier, j'ai appris la nouvelle de ta mutation à Paris.

Il ne prononce ni « Félicitations ! » ni « Bon courage ! » Je me sens de nouveau mal à l'aise et dis :

— C'est encore une décision officieuse...

— Autant dire que c'est décidé à moins que tu ne déclines l'ordre.

Il y a quelque chose d'acerbe dans sa façon de parler. Je demande de nouveau :

— Qu'est-ce qu'il y a, Nobu ?

Il répond d'un air nonchalant :

— La compagnie compte m'envoyer à São Paulo.

— Comment ?

Embarrassé, je regarde Nobu, qui pousse un soupir. Je réfléchis un instant. La succursale de là-bas s'occupe de produits pétrochimiques. Elle est très active, mais je ne comprends pas pourquoi on y mute quelqu'un comme lui, affecté à la division administrative. D'ailleurs, il ne parle aucune langue étrangère.

Nous entrons dans un café. Avant de s'installer à une table, Nobu téléphone à sa femme. En s'assoyant devant moi, il dit :

— C'est pour faire du recrutement local.

— Comment ça ? Tu ne connais pas le por-
tugais.

— Non, mais on envisage d'engager des Bré-
siliens d'origine japonaise qui parlent aussi le
japonais.

Je ne comprends toujours pas sa situation. Mon
regard se fixe sur les sacs pleins d'articles pour
son nouveau-né. Il murmure :

— Je ne suis plus célibataire. Paris ou São
Paulo, ça m'est égal.

Par la fenêtre on peut apercevoir le panonceau
de l'Académie Kanda. Je voudrais bien annoncer
à Nobu mes fiançailles avec Yûko, mais je me
tais. Ce n'est pas le moment d'aborder ce sujet.
Nobu continue à m'expliquer ce que le service du
personnel a décidé à propos de sa mutation. La
compagnie suggère que sa femme et ses enfants
le rejoignent là-bas dès qu'il sera bien installé.
Cela veut dire six mois plus tard. En l'écoutant, je
pense que c'est une mesure adéquate pour lui qui
n'a jamais vécu à l'étranger. Nobu dit :

— Je ne suis pas sûr d'accepter cette mutation.

— Quoi ?

— Ce n'est pas raisonnable de quitter ma
femme et mes enfants si longtemps.

Je n'en crois pas mes oreilles. Raisonnable ou
non, la mutation fait partie de notre vie de salariés.
Il est normal de passer une certaine période
difficile. Pourtant, il proteste :

— Je ne peux pas accepter un ordre pareil pour
un terme indéterminé.

66

Il mentionne le cas d'un employé qui a été envoyé pour dix ans en Amérique du Sud et en Asie de l'Est, tandis que sa femme et ses enfants vivent toujours au Japon.

— Alors, veux-tu demander à la compagnie de ne pas te déplacer ?

— Je ne sais pas. Je dois réfléchir avant d'en parler à ma femme.

— Elle ne connaît pas encore cette nouvelle ?

— Non. Tu es la première personne à qui j'en parle.

Il se lève de sa chaise et dit :

— La compagnie n'est qu'une compagnie. On ne se soucie point de la vie personnelle des individus.

— Ne sois pas si pessimiste, Nobu. Vivre une fois à l'étranger, ce sera une bonne expérience pour toi. Essaie au moins.

Il ne répond pas. Nous sortons du café. Il me quitte, les épaules basses. En le regardant, je me demande si sa mutation est un coup monté par son supérieur direct qui ne l'aime pas.

Trois jours se sont écoulés depuis notre voyage imprévu à Kobe. Nous sommes déjà le 10 mars. Trop occupé, je n'ai même pas pu voir Yûko hier soir après son cours de français, mais ce soir je vais la rejoindre au café *Mitsuba*. Notre rendez-vous est à neuf heures. Je m'y rendrai directement après mon travail. En fait, je cherche un endroit où nous puissions être ensemble. Mon appartement n'est pas commode : les voisins se connaissent trop et ils lancent souvent des rumeurs à propos des autres.

Ce soir, nous avons beaucoup de choses à discuter. Tout d'abord, il faut décider quand et où présenter nos parents les uns aux autres. Deuxièmement, est-ce que Yûko m'accompagne tout de suite à Paris, ou bien m'y rejoint-elle plus tard, après avoir séjourné quelques mois à Montréal ? Troisièmement, où et quand peut-on célébrer notre mariage ?

Il est une heure de l'après-midi. Je descends à la cantine, située au sous-sol de l'immeuble Goshima. Quand je fais la queue devant la caisse, je remarque derrière moi les deux hommes que

68

j'ai croisés l'autre jour dans l'ascenseur. Celui de la succursale d'Osaka porte toujours une cravate verte. Je l'entends prononcer de nouveau le nom de Yûko. Je dresse aussitôt l'oreille. Il dit à l'autre, celui qui travaille ici, au siège social :

— J'ai tenté à trois reprises d'inviter mademoiselle Tanase à sortir avec moi et elle a décliné chaque fois en prétendant qu'elle était occupée.

L'autre dit franchement :

— Oublie-la. Elle quittera bientôt la compagnie.

L'homme à la cravate verte demande :

— Pour quelle raison ?

— Pour se marier, bien sûr ! Pense à son âge, elle a vingt-trois ans.

— Pourquoi tu ne l'as pas dit plus tôt ?

— Je viens de l'apprendre au service du personnel. Alors, tu n'as plus aucune chance de l'inviter.

L'homme à la cravate verte s'écrie :

— Quelle catastrophe !

J'ai failli sourire. Il demande :

— C'est un mariage entre employés ?

L'autre répond :

— Mais non ! C'est avec le fils du président de la banque Sumida.

« Quoi ? » Je suis pétrifié. L'homme à la cravate verte s'étouffe :

— Tu es certain ?

— Oui.

— Comment connais-tu une chose aussi importante ?

— Par hasard, j'ai entendu une conversation entre le chef de notre bureau et le directeur du personnel.

— Le mariage est-il déjà décidé?

— Je ne sais pas, mais c'est une proposition qui est venue du côté du président Sumida. Qui pourrait la refuser? Autant dire que c'est décidé!

«C'est impossible...» Je reste là, immobile. Mon sang ne fait qu'un tour. L'homme à la cravate verte est fâché:

— Tu rigoles! Mademoiselle Tanase est la coqueluche de tous les célibataires. Ce fils n'a pas le droit de la voler parce que son père est riche.

«Qu'est-ce qui se passe?» Furieux, je monte à la réception voir Yûko. Elle n'est pas là, elle doit être en pause du midi. Sa collègue est assise seule devant le comptoir. Déçu, je retourne au bureau. Je suis si énervé que je ne peux pas me concentrer sur mon travail.

Bientôt, les gens autour de moi apprennent la rumeur au sujet de Yûko. Dans notre équipe, à part moi, il y a quatre personnes: deux hommes célibataires plus jeunes que moi, une femme mariée de mon âge et une fille de dix-neuf ans. J'entends les hommes répéter les mots *tama no koshi*. La femme mariée dit: «Quelle chance! Si j'étais à la place de mademoiselle Tanase, j'accepterais cette proposition avec plaisir. Le fils est non seulement riche, mais charmant et intelligent. Qui pourrait lui dire non?» La fille dit: «Ça dépend. Si mademoiselle Tanase a déjà quelqu'un dans sa vie,

70

elle refusera. » La femme mariée rit : « Tu es encore naïve ! » Quand l'un des hommes me demande mon opinion, je suis très gêné.

Je descends dans le hall où se trouvent des téléphones publics. Je compose le numéro de la compagnie Goshima. Une standardiste répond, une voix familière. J'espère qu'elle ne me reconnaîtra pas :

— La réception, s'il vous plaît. Je voudrais parler à mademoiselle Tanase.

— C'est de la part de qui ?

Je mens :

— C'est monsieur Tanase. Je suis son cousin.

— Un instant. Ne quittez pas.

Quelques secondes de silence. Dès que la ligne est connectée, Yûko dit :

— Quelle surprise, Masao ! Tu vas mieux ?

« Masao ? » Je ne connaissais pas le prénom de son cousin. Je chuchote :

— C'est moi, Takashi.

Yûko est stupéfaite :

— Quelle plaisanterie !

Je demande aussitôt :

— Es-tu seule maintenant ?

Elle répond calmement :

— Non, Masao. Qu'est-ce qu'il y a ?

Ma voix tremble :

— Je suis bouleversé par la rumeur au sujet du fils du président de la banque Sumida.

— Masao, ne t'inquiète pas. Ce n'est qu'un malentendu. Je t'expliquerai les détails ce soir.

D'accord ? Ah, un client vient d'entrer. Je dois te quitter. Salut !

Elle raccroche. J'éprouve enfin du soulagement. En me rappelant le visage du fils en question, je murmure : « Quel alarmiste ! »

Je remonte à mon bureau. Dans le couloir, je croise monsieur Toda, qui porte une valise. J'apprends qu'il part pour New York parce que le président-directeur général lui a demandé à la dernière minute de faire une évaluation de la succursale de là-bas. Il ajoute que ce sera son dernier voyage en tant que directeur du service des affaires étrangères.

Je demande :

— Combien de jours y séjournerez-vous ?

— Une semaine. Je reviendrai le 17 pour l'annonce du remaniement du personnel. J'ai hâte de te voir partir à Paris. À bientôt !

Son chauffeur vient le chercher. En le regardant s'éloigner, je décide de l'inviter à notre cérémonie de mariage.

Ce soir, mon travail se termine avant huit heures et demie. Un de mes collègues m'invite à boire, mais je décline sans hésitation. Je veux me rendre tout de suite au café *Mitsuba*. Il poursuit : « Alors, on ira demain ? » Je lui donne une réponse vague et sors du bureau.

Lorsque j'arrive au café, il est encore neuf heures moins dix. La jeune serveuse m'accueille gentiment : « Votre compagne n'est pas encore là. » Et elle m'informe que ce soir on ferme à dix heures, exceptionnellement. Je m'installe à une table. Une musique de jazz monte de l'enceinte acoustique. La mélodie me semble familière.

La serveuse m'apporte une tasse de café. Nous parlons quelques minutes ensemble. Je me souviens qu'elle a été admise à l'université. Je lui demande en quoi elle va étudier. Elle sourit. « L'histoire du Japon ! J'aimerais devenir professeur de lycée. » Je l'écoute, ému par sa gaieté malgré son passé si triste. C'est une bonne fille.

Je regarde autour de moi. Il n'y a que trois clients à part moi : un jeune couple et une femme entre deux âges, qui lit un livre. Bientôt, tous ces gens sortent l'un après l'autre. Je prends un journal laissé sur la table d'à côté.

À neuf heures précises, Yûko arrive avec un grand sourire. Elle s'exclame :

— Vous êtes déjà là !

Elle m'explique tout de suite l'affaire du fils du président de la banque Sumida. Cet après-midi, dit-elle, le directeur du personnel lui a demandé de venir dans son bureau. Selon lui, le fils en question a eu le coup de foudre pour elle. Son père était curieux de la réaction de son fils, qui n'avait jamais montré aucun intérêt pour les filles recommandées par ses parents. Alors, il a téléphoné à notre président-directeur général pour se renseigner sur Yûko.

Je suis de nouveau furieux :

— Qu'est-ce que tu as dit au directeur du personnel ?

— Je lui ai dit que je suis déjà fiancée. Je n'ai pas mentionné votre nom parce que nous nous sommes promis d'annoncer notre mariage après ma démission.

— Et qu'est-ce qu'il a dit ?

Elle sourit :

— « Ah, c'est trop tard pour le fils du président Sumida ! En tout cas, félicitations pour vos fiançailles ! »

— C'est tout ?

— Bien sûr que oui. Mon mariage est mon affaire. On n'a qu'à respecter mes intentions.

Même si je suis soulagé, je montre ma colère à Yûko :

— Quelle alarmiste !

— De qui vous parlez ?

— De toi. Tu es si charmante !

Ses joues deviennent toutes rouges et elle baisse la tête. Bien que l'affaire soit réglée, je ne peux retrouver mon calme. Je réfléchis. Il vaut mieux, peut-être, que Yûko aille à Montréal et que de là elle me rejoigne à Paris.

Yûko me regarde, l'air innocent. Je serre ses mains :

— Retournerons-nous à Kobe ce week-end ?

Ses yeux brillent :

— Quelle bonne idée !

Il est dix heures moins cinq. La serveuse se prépare à fermer en mettant les chaises sur les tables. Je remarque qu'il reste encore une autre personne, qui a dû entrer après Yûko. C'est un homme vêtu d'un complet noir. Sa cravate noire me donne à penser qu'il a peut-être assisté à des funérailles. Son chapeau posé sur la table est noir lui aussi. Il fume en regardant vers la fenêtre. Il paraît avoir soixante ans.

Quand nous sortons du café, la lumière de l'enseigne s'éteint. Nous nous promenons dans une petite ruelle. Tout à coup, je me souviens où j'avais entendu la même musique de jazz que j'ai écoutée tout à l'heure. C'est dans le bar où je buvais seul après avoir dîné avec Yûko. Je voudrais bien revoir le barman, qui m'avait donné un bon conseil.

Je pense aussi à l'*ékisha* à la barbe blanche. C'est étrange, je ne peux plus me rappeler les endroits où je les ai rencontrés, comme si tout cela avait été un rêve.

Je demande à Yûko :

— Tu connais le mot *shamrock* ?

— *Shamrock* ? Non. Qu'est-ce que ça veut dire ?

— Il signifie trois feuilles en irlandais.

Elle murmure :

— *Mitsuba*, trèfle et *shamrock*...

Nous sommes devant la station de métro. Je serre les mains de Yûko :

— Alors, ce samedi soir, on se rejoindra au café *Mitsuba*, à six heures. Ensuite, on va à Kobe. D'accord ?

Elle répond joyeusement :

— Oui, mais ne soyez pas en retard !

Elle me quitte. Le bas de son manteau orange de printemps flotte au rythme de ses pas. Avant de se mêler à la foule, elle se retourne et me sourit.

Le lendemain, dès le matin, la rumeur se répand dans la compagnie. « Mademoiselle Tanase a décliné la demande en mariage du fils du président de la banque Sumida ! »

La femme mariée qui a dit la veille « Si j'étais à la place de mademoiselle Tanase... » n'en revient pas :

— Quel dommage ! Quelle humiliation pour la famille Sumida !

La fille qui a dit « Ça dépend. Si mademoiselle Tanase a quelqu'un dans sa vie... » réplique :

— Ce n'est pas humiliant du tout. Ce sont des choses qui arrivent souvent.

L'un des hommes qui ont répété les mots *tama no koshi* dit :

— Je suis soulagé de savoir que toutes les filles ne cherchent pas un prince. À vrai dire, j'étais jaloux de ce fils, mais j'éprouve maintenant de la sympathie pour lui.

Ce bavardage me fait sourire. Pourtant, je m'inquiète de la réaction de ces gens quand ils apprendront que je suis le fiancé de Yûko. Le stagiaire à la cravate verte, celui de la succursale d'Osaka, se lamentera sûrement : « Quoi ? Un employé de notre compagnie a volé mademoiselle Tanase ? C'est inacceptable ! » Je dois être très discret au sujet de nos fiançailles jusqu'à ce que Yûko démissionne, bien que je sois fier d'avoir conquis le cœur d'une fille désirée par autant d'hommes.

Peu avant midi, le chef de notre service m'appelle.

— Aoki, le directeur du personnel te demande de faire l'*atendo* pour le client français, monsieur Bodin.

— Encore ?

— Oui. Selon le directeur, lui et sa femme ont beaucoup apprécié ton accueil dimanche dernier. Demain, tu les accompagnes à Kamakura.

Le chef me montre une photocopie du planning à suivre. Le vendredi 12 mars : aller les chercher à 13 heures à l'hôtel S., ensuite à la gare de Tokyo en taxi. À Kamakura, visiter les temples K. et T. Le samedi 13 : aller les rechercher à sept heures à l'hôtel S., ensuite à Kyoto par le *shinkansen* Hikari de huit heures (les places sont réservées)... et visiter la succursale de Kyoto.

Je demande au chef :

— Qui les accompagnera à Kyoto ?

— Toi, bien sûr !

Je regarde de nouveau le planning. Monsieur et madame Bodin sont supposés revenir à Tokyo ce samedi soir à huit heures. Cela veut dire que je ne pourrai pas aller à Kobe avec Yûko. Je suis très déçu. Je voudrais vraiment décliner cette mission. Maintenant, je comprends Nobu qui évite tout ce qui perturbe sa vie familiale. Le chef me sourit :

— Quelles vacances ! Je voudrais bien m'amuser à ta place.

Je descends dans le hall et téléphone à Yûko, en me faisant encore passer pour son cousin.

— C'est dommage, Masao !

Elle aussi est très déçue. Nous décidons quand même de nous rejoindre au café *Mitsuba* à neuf heures du soir, après mon retour de Kyoto. Je voudrais parler avec elle plus longtemps, mais elle doit s'occuper de visiteurs qui arrivent justement. En raccrochant, j'ai un sentiment étrange à propos de la rumeur qui court sur Yûko. Elle a refusé la demande du fils Sumida, pourtant personne n'a mentionné qu'elle était déjà fiancée avec quelqu'un d'autre, comme elle l'avait affirmé au directeur du personnel.

Vers midi, Nobu me téléphone et propose d'aller au restaurant. Je suis surpris de son appel. Depuis le voyage à Kobe avec Yûko, je ne pensais qu'à elle et j'avais oublié le problème de Nobu. Sa voix me semble calme. Je suis curieux de connaître sa décision à propos de sa mutation à São Paulo. J'accepte sa proposition avec plaisir et nous choisissons le même restaurant que la semaine dernière.

Lorsque j'y arrive, il est déjà à table. Dès que je m'installe, il dit :

— J'ai décidé de quitter la compagnie d'ici un mois.

— Quoi ?

Je suis estomaqué :

— Tu en es sûr ?

Il a l'air déterminé :

— Oui. Ce matin, j'ai donné ma démission au chef de notre bureau.

« Déjà ? » Je reste bouche bée. Il explique que c'est grâce à sa femme qu'il n'a pas eu à hésiter longtemps. Elle y était prête, elle l'a même taquiné : « Je m'en doutais. Pour les *aïsaïka* comme toi, la fonction des *shôsha-man* n'est pas facile à remplir ! » Je n'ai jamais rencontré sa femme, mais j'ai l'impression que c'est une personne de tête. Selon Nobu, c'est une chrétienne très pieuse. Je me souviens qu'ils se sont rencontrés dans une église protestante.

Une serveuse prend notre commande. Cette fois-ci, Nobu choisit le menu sushi et moi, le menu tempura. Nobu poursuit :

— De toute façon, ma femme n'a aucune intention d'élever les enfants à l'étranger, elle ne voudrait pas qu'ils deviennent des déracinés qui oublient leur langue maternelle. En plus, selon elle, les gens qui sont instruits ailleurs qu'au Japon ne sont plus traités comme des Japonais. Naturellement, ils auront de la difficulté à vivre dans leur propre société à leur retour. Elle a raison.

Je reste silencieux. Les remarques de sa femme réveillent les souvenirs de mon enfance aux États-Unis. Helena est une petite ville du Montana où il n'y avait pas d'école japonaise. Je devais suivre les instructions de l'enseignement du gouvernement nippon par correspondance. Je me suis très vite adapté à la vie américaine et je négligeais mon étude du japonais. La conséquence fut sévère : de retour au Japon, j'ai eu beaucoup de difficultés à l'école, surtout en mathématiques et en japonais. Alors j'ai dû étudier avec l'aide d'un professeur privé, tous les jours après l'école. C'était dur.

D'ailleurs, des camarades me ridiculisaient en se moquant de mon japonais mêlé de mots anglais.

— Ta femme est réaliste, dis-je.

— Tout à fait. Je suis content d'avoir épousé une femme aussi déterminée.

La serveuse nous apporte les plats. Nobu attaque aussitôt, il mange de bon appétit. Je demande en entamant mon tempura de crevette grise :

— Quelle est la réaction de ton supérieur direct ?

— Très banale. Il m'a dit : « Réfléchis bien, mon vieux. » Je savais qu'il voulait se débarrasser de moi.

Je me tais. Il est dommage que son supérieur n'apprécie pas l'efficacité de Nobu au travail. Pour lui, ce n'est pas l'efficacité qui importe. Il veut que Nobu se comporte comme tout le monde pour ne pas troubler le *wa*. C'est ironique, car ce mot signifie aussi « Japon ». Je songe au dicton : « Le clou qui dépasse se fait taper dessus. » C'est triste, mais c'est une réalité qu'on ne peut ignorer dans cette société. Je crois que Nobu est un peu naïf.

Il continue d'un ton tranchant :

— Si ton supérieur est incompétent et qu'il ne t'aime pas, ce sera pire pour toi. Tu perdras des années en vain, à l'étranger, comme l'homme dont je te parlais l'autre jour. Je ne veux absolument pas sacrifier ma famille pour un motif aussi absurde. Comprends-tu ?

— Tu exagères...

Je pense qu'il y a une part de vérité dans ce qu'il me dit, mais on ne peut pas quitter la compagnie chaque fois qu'on a un désaccord avec son supérieur.

— Quant à toi, dit-il, tu as de la chance.

— Pourquoi ?

— Parce que monsieur Toda te donne son appui par-dessus la tête de tes supérieurs. C'est un homme respectable.

— Ne sois pas sarcastique, Nobu !

— Non. C'est un fait. Même si ton supérieur direct n'était pas raisonnable, tu serais bien protégé.

Je l'interromps :

— Tu sais bien que monsieur Toda prendra bientôt sa retraite.

— Oui, mais il demeurera au sein de la compagnie Goshima en tant qu'administrateur.

Je change de sujet :

— Qu'est-ce que tu vas faire après ta démission ?

Il répond sans hésitation :

— J'ouvrirai un *juku* pour collégiens et lycéens.

— C'est bien digne de toi, Nobu !

Il sourit, l'air satisfait. Nous sortons du restaurant. Il faut que nous retournions au travail.

En marchant, Nobu m'apprend que le stagiaire de notre siège social, dont il s'occupe avec celui de la succursale d'Osaka, va lui succéder. Sa façon de parler est libre de tout souci. Pourtant, j'éprouve des sentiments contradictoires. Je ne peux pas m'imaginer dans une telle situation dans l'avenir : quitter cette compagnie dont je suis si fier.

Nous approchons de l'immeuble Goshima. Nobu me demande :

— Au fait, es-tu au courant de la rumeur qui circule au sujet de Yûko ? Elle a reçu une proposition de mariage avec le fils du président de la banque Sumida.

Je bégaye :

— Oui, je l'ai entendue...

Il s'exclame :

— Elle l'a rejetée ! Elle n'en est pas moins admirable. Je suis content pour elle.

— Nobu...

Je m'arrête. Il me regarde :

— Qu'est-ce qu'il y a, Takashi ?

J'hésite un instant, mais avoue enfin :

— Je suis son fiancé.

— Quoi ? Tu es son fiancé ?

Il est interloqué. Je raconte brièvement ce qui nous est arrivé le week-end dernier. Il ne sait que répondre. J'ajoute que c'est grâce à son encouragement que j'ai pu enfin demander à Yûko de m'épouser. Ébahi, Nobu me fixe : « C'est incroyable... » Je supplie :

— Garde cela pour toi, s'il te plaît. Tu es la première personne à qui j'en parle. Ce n'est pas le bon moment pour annoncer nos fiançailles. Comprends-tu ?

— Oui, tu as raison...

Je baisse la tête. Au bout d'un moment, il sourit et me donne une tape amicale dans le dos :

— Tu es plus malin que tu ne le parais !

Cet après-midi, j'ai accompagné monsieur et madame Bodin à Kamakura. Nous avons visité plusieurs vieux temples. Ils parlaient sans cesse et me posaient des questions intéressantes sur le shogounat des Kamakura. Ils s'entendaient bien entre eux. En côtoyant ce couple uni, je souhaitais que Yûko soit là avec nous. Lorsqu'ils m'ont demandé si j'étais marié, j'ai répondu que j'étais seulement fiancé. Je croyais pouvoir leur présenter Yûko une prochaine fois, à Paris.

Il est dix heures du soir et je rentre à mon appartement. Dès que j'ouvre la porte, la sonnerie du téléphone se fait entendre. Je me précipite pour répondre, je sais que c'est Yûko.

— Allô !

— Ah... Takashi-*san* ?

Sa voix est tendue. Je demande :

— Qu'est-ce qu'il y a ?

Elle ne répond pas tout de suite. Je répète :

— Qu'est-ce qu'il y a ?

— Aujourd'hui, mon père a reçu l'appel du président de sa compagnie...

Je ne comprends pas ce qu'elle veut me dire.

— Et alors?

— On lui a demandé quand j'allais me marier, dit-elle.

— Comment?

Je reste perplexe. «Que se passe-t-il maintenant?»

Yûko explique ce qu'elle vient d'apprendre. D'abord, son père a été étonné de cet appel inattendu, surtout le mot du président, «quand», parce qu'il ne lui avait jamais parlé de sa fille. Alors, il a répondu au président que lui et sa femme avaient proposé à leur fille un ingénieur du ministère de la Construction. Le président s'est exclamé : «Bon, le mariage n'est pas encore définitif!» Il a dit que le président de la banque Sumida désirait ardemment marier son fils avec Yûko.

Je crie sans le vouloir :

— Encore ce fils! Tu avais déjà décliné sa proposition par l'intermédiaire du directeur du personnel, n'est-ce pas?

— Bien sûr! Je lui avais même dit que j'étais fiancée avec quelqu'un d'autre.

— Pourtant, ton père ne connaissait pas nos fiançailles lors de sa conversation avec le président de sa compagnie...

— Non. Mais il le sait maintenant. Je lui ai tout avoué.

Les parents de Yûko ont été ébahis. Ils ont demandé pourquoi elle avait gardé secrète une chose si importante. Elle a déclaré que c'était à cause de ce fils qu'elle et moi avions décidé de nous taire pour le moment. Ses parents ont compris. De toute façon, dit-elle, il est hors de question pour son père d'accepter un tel mariage. Il a dit : « Je ne serais jamais à l'aise avec le fils du président de la banque Sumida qui finance notre compagnie. » Il a aussitôt téléphoné au président de sa compagnie pour annoncer les fiançailles de sa fille, sans mentionner mon nom.

Je suis soulagé, sachant que ses parents, surtout son père, sont compréhensifs. J'ai hâte de les rencontrer. Yûko murmure, la voix toujours tendue :

— J'ai peur...

— Ne t'inquiète pas, dis-je. Je connais le président de la banque Sumida. C'est un homme raisonnable. Quand il apprendra tes fiançailles, il fera comprendre à son fils qu'il doit se résigner à t'oublier. Il n'a pas le choix.

Elle reste silencieuse. Je dis :

— Demain soir, dès mon retour de Kyoto, je te rejoindrai au café *Mitsuba*. Ensuite, on pourra se rendre chez ma mère.

Sa voix devient enfin joyeuse :

— Chez votre mère ! Nous attendra-t-elle ?

— Non. On va lui faire une visite-surprise !

— Mais, quelle idée !

Yûko raccroche, rassurée et de bonne humeur. Pourtant, je me sens encore perturbé. Je voudrais bien décliner l'*atendo* pour demain, mais ce ne sera pas possible, à moins que je ne tombe gravement malade.

Le lendemain, comme convenu, je vais à Kyoto avec monsieur et madame Bodin. Tout le long du voyage, je suis préoccupé par l'histoire de la veille et j'ai du mal à soutenir la conversation avec ce couple courtois. Heureusement, ils sont tellement excités par le spectacle qu'offre l'ancienne capitale du pays qu'ils ne remarquent pas mon agitation.

À Arashiyama, nous prenons le repas du midi dans un vieux restaurant. Ensuite, ils se promènent dans un parc situé près de la rivière. Je les y laisse seuls et cherche une cabine publique pour téléphoner à Yûko. Je dis à la standardiste :

— La réception, s'il vous plaît. Je voudrais parler à mademoiselle Tanase.

— C'est de la part de qui ?

— De la part de Masao Tanase. Je suis son cousin.

— Un instant. Ne quittez pas.

Et après quelque temps de silence, elle me dit :

— Je suis désolée, monsieur Tanase. Mademoiselle Tanase n'est pas là en ce moment. Si vous voulez bien lui laisser un message, je peux transférer votre appel à l'autre réceptionniste.

— Merci. Ce n'est pas la peine.

Déçu, je raccroche. Néanmoins, je suis soulagé d'apprendre que Yûko est au travail comme d'habitude.

Je me repose dans un petit café. Il est deux heures. Je dois retourner au parc chercher le couple. Il faut que je les présente à la succursale de Kyoto. Je suis un peu nerveux à l'idée de rencontrer le chef, car c'est un vieil homme revêche, d'après ce que j'ai entendu dire.

Nous reprenons le *shinkansen* de cinq heures et demie de l'après-midi pour revenir à Tokyo. Malgré mon agitation, j'ai pu jouer mon rôle d'*atendo*. Seulement, je me sentais mal à l'aise à la succursale de Kyoto, où le chef évitait de me parler.

Je raccompagne le couple à son hôtel et me rends aussitôt au café *Mitsuba*. Il est presque neuf heures. Yûko doit m'y attendre.

Quand j'y arrive, il est neuf heures et vingt. Je monte l'escalier en courant. J'entre et je cherche Yûko, mais elle n'est pas encore là. Je me dis : « C'est étrange... Elle n'a jamais été en retard à nos rendez-vous. »

Je m'installe à la table, près de la fenêtre du fond. Aujourd'hui, comme la jeune serveuse n'est pas là, c'est la femme du propriétaire qui m'accueille. Je commande un café. Dix minutes passent. Yûko ne se montre toujours pas et l'inquiétude commence à m'envahir. Je regarde sans cesse vers la porte d'entrée, en vain. Ma tasse est déjà vide. J'en commande une autre et demande à la femme s'il y a un message pour moi. Elle secoue la tête. Je prends un journal du soir posé sur l'étagère fixée contre le mur.

Quelques minutes plus tard, j'aperçois la porte d'entrée s'ouvrir. Je crois que c'est elle : «Enfin!» Je me suis trompé. C'est un homme, vêtu tout en noir : le chapeau, la cravate, le pantalon et les souliers, sauf la chemise. C'est un monsieur d'âge mûr. Je réfléchis un moment, car son apparence me rappelle l'homme que j'ai vu ici l'autre jour. Je me demande s'il s'agit de la même personne. Il me voit, je détourne les yeux. Bien qu'il y ait assez de tables libres, il se dirige vers la section où je suis. Je baisse la tête et continue à lire le journal. Je pense qu'il s'assoira à une table à côté de la mienne, mais il s'arrête devant moi. Il dit :

— Excusez-moi de vous déranger...

Je lève les yeux. Il demande poliment :

— Vous êtes bien monsieur Aoki ?

Étonné, je fixe son visage, qui ne m'est pas familier :

— Oui...

Je réfléchis encore : «Est-ce un client de notre compagnie ?» Je demande :

— Et vous êtes... ?

— Je suis monsieur Asano, répond-il.

« Monsieur Asano ? » Je cherche à nouveau, mais ce nom ne me dit rien. Il poursuit :

— Je suis venu ici vous parler.

— Pardon ?

Il me regarde dans les yeux :

— Il s'agit de mademoiselle Yûko Tanase.

« De Yûko ? » Un moment, je pense qu'il lui est arrivé quelque chose, un accident de la circulation peut-être. Il dit :

— Ne vous inquiétez pas, elle va bien. Seulement, elle ne viendra pas ici.

Je suis embarrassé. « Qu'est-ce qui se passe ? » Il ôte son chapeau :

— Permettez-moi de m'asseoir.

L'homme s'installe devant moi et dépose son chapeau sur la table. Je le regarde avec un sentiment mêlé de crainte : « Ce monsieur Asano... Que me veut-il ? » La serveuse lui apporte une tasse de thé et l'homme lui demande un cendrier. Il sort un paquet de cigarettes de la poche de son veston et m'en offre une, que je refuse. Il se met à fumer. Je fixe un instant sa cravate toute noire.

— Monsieur Aoki, dit-il, je voudrais vous parler sans détour. Mademoiselle Tanase...

Il s'arrête. La serveuse pose un cendrier devant lui et va débarrasser les tasses qui traînent sur une autre table. Il continue :

— Mademoiselle Tanase ne peut plus vous voir. Il a été décidé qu'elle allait épouser le fils du président de la banque Sumida.

« Quoi ? » Je crie aussitôt :

— Quelle plaisanterie !

La serveuse tourne la tête vers nous. L'homme baisse la voix :

— Je suis vraiment désolé, monsieur Aoki. C'est un fait indéniable. Veuillez l'accepter pour votre bien.

Je suis énervé :

— Pour mon bien ? De quel droit me dites-vous une pareille chose ?

Il répond d'un ton imposant :

— Je suis ici au nom de monsieur Sumida.

« Monsieur Sumida ? » Je suis sous le choc. « Ce n'est pas vrai... » Ce nom pèse lourdement sur moi comme un ordre absolu de l'armée. Je me rappelle son visage. À Singapour, il me parlait franchement : « Mon fils est encore célibataire même s'il a déjà plus de trente ans. J'essaie de lui présenter tant de belles filles de bonnes familles, mais il refuse même de les rencontrer. C'est pénible ! » Et je me rappelle aussi pourquoi il envisageait de financer une entreprise chinoise de là-bas.

Je dis à monsieur Asano :

— Je crois qu'il y a un malentendu. Vous devez savoir que Yûko et moi sommes fiancés. Je vais en parler directement au président et à son fils.

Il lève le ton :

— Ne pensez pas à une idée aussi téméraire. Il s'agit du fils du président de la banque Sumida, qui soutient la compagnie Goshima !

J'insiste :

— C'est un malentendu. Il faut dire la vérité au président.

Il m'interrompt, encore plus autoritaire :

— Je vous répète, monsieur Aoki, que le mariage entre son fils et mademoiselle Tanase est maintenant une affaire entendue et définitive.

Il écrase sa cigarette. Comme il me fixe, le regard impérieux, j'hésite à poursuivre. Il continue :

— Si vous insistez pour que le fils de monsieur Sumida renonce à épouser mademoiselle Tanase, la conséquence serait fâcheuse non seulement pour vous, mais aussi pour monsieur Tanase, le père de cette fille.

Furieux, je dis à monsieur Asano :

— C'est une menace !

Il m'ignore et ajoute quelque chose de plus choquant encore. Il dit qu'aujourd'hui monsieur Sumida a rencontré le père de Yûko pour lui parler de son fils. Je n'en crois pas mes oreilles. Monsieur Asano me dit sèchement que contacter Yûko ne causera maintenant que des ennuis à sa famille. Je suis frappé de stupeur et mon corps tremble de rage. Je veux hurler mon indignation à cet homme qui reste toujours impassible. Il dit :

— Je vous suggère fortement de ne dire à personne ce que je vous ai confié ce soir.

Il met son chapeau noir et se lève. Je suis complètement atterré, je le regarde sortir du café sans pouvoir dire un mot.

Nous sommes dimanche. Je reste dans mon appartement toute la journée. Prostré, je n'ai aucune envie de faire quoi que ce soit. Je n'ai presque rien mangé depuis ce matin.

Hier soir, j'ai tenté de communiquer avec Yûko au téléphone, en vain. Son père a répondu et m'a répété : « Monsieur Aoki, je suis tellement désolé. Veuillez comprendre ma situation. » Il avait des larmes dans la voix. Je n'ai pas pu insister.

Allongé sur le sofa, je songe à Yûko. Je vois son image au café *Mitsuba*, dans le *shinkansen*, dans la chambre de l'hôtel à Kobe, devant le merveilleux panorama nocturne... Elle sourit, elle parle, elle chuchote, elle mange, elle marche, elle dort dans mes bras... Je vois son profil même à Montréal que je ne connais pas. Toutes ces images ne sont-elles qu'un rêve maintenant ? Sa voix douce et claire, son espièglerie, son élégance, ses mains délicates, son corps souple... Je les ai perdus. Mes joues se mouillent de larmes.

Vers neuf heures du soir, quelqu'un frappe à la porte. « Qui est-ce ? » Je n'en ai aucune idée. Néanmoins, je souhaite un instant que Yûko soit venue me voir. J'ouvre :

— Nobu !

C'est une visite tout à fait inattendue. Il demande :

— Je te dérange ?

— Non...

Je l'invite à entrer. Il revient de l'église, où il participe au cercle de lecture de la Bible. Je l'interroge :

— Comment as-tu trouvé mon adresse ?

Il répond, gêné :

— Désolé, j'ai fouillé dans le dossier des employés.

Il s'installe dans le sofa et pose une bouteille de whisky sur la table. Je la regarde, distrait. Il me sourit, le regard insouciant :

— C'est un cadeau de fiançailles !

Je baisse la tête :

— Je ne peux l'accepter...

— Ne fais pas de manières. Je suis content pour toi !

— Non, ce n'est pas ça...

Il me dévisage :

— Alors, qu'est-ce qu'il y a ?

Je reste muet, je ne sais comment lui expliquer ma situation, si embarrassante. Il demande avec hésitation :

— Tu veux dire... vos fiançailles sont rompues ?

Je fais oui de la tête. Il réfléchit et demande de nouveau :

— C'est à cause du fils en question ?

Je ne réponds pas. Il crie :

— Quel salaud ! Je m'en doutais.

— Autour de moi, personne ne sait que nous nous étions promis, sauf toi. Pas un mot de tout cela à quiconque, s'il te plaît.

— Pourquoi ? C'est un scandale !

— C'est dans l'intérêt de Yûko et de son père. Je n'ai pas le choix et ils ne l'ont pas non plus. Comprends-tu ?

Nobu murmure d'un ton sarcastique :

— C'est évident que notre compagnie a coopéré avec le président de la banque Sumida.

Nobu a raison. Je pense au directeur du personnel qui a parlé avec Yûko. Il a certainement manigancé cette affaire avec le président-directeur général de notre compagnie. Ce n'est pas une coïncidence si monsieur Toda a été envoyé maintenant à New York.

Nobu me demande d'apporter des verres. Nous nous mettons à boire du whisky. C'est à ce moment qu'il dit :

— Tu es victime de la compagnie, comme ton père.

Étonné, je regarde son visage. C'est la première fois qu'il aborde le sujet de mon père.

— Je le suis, dis-je, mais mon père ne l'était pas.

— Si. C'était aussi un scandale, le cas de ton père.

Je suis perplexe :

— Un scandale ? De quoi tu parles ?

Maintenant, c'est lui qui est embarrassé :

— Tu ne le savais vraiment pas ?

— Non...

Nous nous taisons. J'attends qu'il m'explique. Il dit d'abord qu'il l'a appris tout récemment d'un ami qui a quitté la compagnie l'année dernière et que je suis la première personne avec qui il en parle.

— Ton grand-père, dit-il, a voulu intenter un procès contre la compagnie Goshima : il a prétendu que la mort de ton père était due à un excès de travail. De colère, il a hurlé devant les cadres supérieurs : « Vous avez tué mon beau-fils ! »

Ma respiration est coupée :

— Incroyable...

Je pense à mon grand-père. C'était un homme calme et gentil. Ma petite sœur et moi l'avons beaucoup aimé. Il est difficile d'imaginer qu'il ait pu être si agressif. Selon Nobu, mon grand-père a affirmé à ces cadres que l'emploi du temps de mon père était inacceptable : aucun repos n'avait été prévu pour le décalage horaire durant ses déplacements dans les trois pays qu'il devait visiter. D'ailleurs, mon père avait dû partir du Japon pendant le week-end et poursuivre sa mission en Europe dès son arrivée.

Je me rappelle cette dernière mission. En effet, il avait un emploi du temps très chargé tout au long de son dernier voyage. Avant d'arriver à

Londres, où il est mort, il avait été à la succursale de Bruxelles, puis à celle de Düsseldorf. Dans sa dernière lettre, il écrivait : « Trop épuisé, je suis incapable de m'endormir... »

— C'est terrible, dit Nobu. Les gens de la compagnie qui connaissaient bien ton père croyaient que ton grand-père avait raison. Tu sais, son supérieur direct avait arrangé un tel emploi du temps. Il n'aimait pas ton père qui refusait, comme moi, d'aller boire avec ses collègues ou ses supérieurs. Il se plaignait : « Monsieur Aoki est de mauvaise compagnie ! » Ce type ressemble beaucoup à mon supérieur actuel.

« Quelle histoire... » Je revois l'image de mon père, qui était une fois rentré en toute hâte en portant une boîte de gâteaux. Ma petite sœur et moi nous nous étions jetés dans ses bras : « Papa ! Tu arrives tôt aujourd'hui ! » Ma mère avait souri : « Quel bonheur ! On peut manger ensemble ce soir. »

Je demande :

— Alors ces cadres, comment ont-ils réagi avec mon grand-père ?

— Ils l'ont menacé : « Si vous nous poursuivez devant les tribunaux, nous n'engagerons plus jamais un membre de la famille Aoki. "Nous" veut dire toutes les compagnies et toutes les banques liées à la société Goshima. » Ton grand-père a dû se résigner.

Je reste abasourdi. Je pense à monsieur Asano qui m'a menacé de la même manière. La colère s'empare de moi. Je comprends maintenant pourquoi ma mère a décliné l'offre d'emploi de la compagnie et pourquoi elle n'était pas du tout contente de mon entrée dans cette entreprise. Si j'avais su, je n'aurais pas accepté d'y travailler.

Nobu ajoute :

— Lorsque les cadres ont voulu refuser le montant de l'indemnité à verser à ta famille, monsieur Toda s'y est fortement opposé en disant qu'on devait offrir une somme raisonnable pour qu'au moins les enfants puissent terminer leurs études jusqu'au maximum de leurs capacités. Il leur a répété : « N'oubliez pas qu'Aoki a énormément contribué à notre société depuis des années. On ne peut le traiter ainsi. C'est l'honneur de la compagnie Goshima qui est en jeu ! »

Je suis ému. Cette attitude est bien digne de lui. Je me souviens des funérailles de mon père au cours desquelles il m'avait présenté ses condoléances. Je demande avec curiosité :

— Le supérieur direct de mon père, où est-il maintenant ?

— Lui ? C'est le chef de la succursale de Kyoto. C'est la succursale la plus tranquille du Japon, il ne fait qu'accueillir des clients étrangers ou bien des anciens cadres qui y séjournent comme touristes.

« C'est donc lui que j'ai rencontré hier avec le couple français ! » Je comprends maintenant pourquoi il évitait de me regarder alors que je lui présentais nos invités.

Nobu se lève :

— Il faut que je m'en aille.

Je le remercie de sa visite.

En sortant de mon appartement, Nobu évoque une histoire dans l'Ancien Testament dont il a discuté tout à l'heure avec des membres de son cercle biblique. « Ayant attiré la colère de Dieu, la ville de Sodome est sur le point d'être détruite. Abraham demande à Dieu s'il se débarrasserait de tous les coupables même s'il y avait des innocents. Dieu lui répond : "Je ne détruirai rien s'il en reste dix." »

Yûko ne se montre plus à la réception, évidemment. La rumeur à son sujet se répand à travers toute la compagnie. « Mademoiselle Tanase a finalement accepté la demande en mariage faite par le fils du président de la banque Sumida ! » Sans exception, tous les membres de notre équipe en parlent aussi.

La femme mariée sourit :

— Je m'en doutais ! Ce n'est pas possible de décliner une telle proposition venant du fils de la personne la plus importante pour la compagnie. De toute façon, choisie par un tel prince charmant, qui ne serait pas heureuse ?

La fille de dix-neuf ans murmure :

— Je ne comprends pas. Je croyais que mademoiselle Tanase avait déjà quelqu'un d'autre.

L'un des hommes célibataires dit, très déçu :

— Ah, j'ai perdu mon temps ! Il ne fallait pas avoir de compassion pour le fils ! Quoi qu'il en soit, c'est l'enfant d'un homme de pouvoir. Il a gagné !

Je voudrais bien me boucher les oreilles. C'est un cauchemar. Je tente de m'absenter de mon bureau le plus longtemps possible.

Au cours de l'après-midi, je suis convoqué par le directeur du personnel. Mon chef me dit que c'est au sujet de ma mutation. Nous sommes déjà le 15 mars. Il est difficile de croire que je serai bientôt à Paris, très loin de Yûko. Je souhaite que le temps et la distance m'aident à l'oublier.

Dans son bureau, le directeur m'attend en fumant une cigarette.

— Assieds-toi, dit-il en me désignant une chaise devant la table.

Avant qu'il n'aborde le sujet en question, il dit qu'on apprécie l'efficacité dont j'ai fait preuve lors de l'étude de marché à Singapour, et aussi ma capacité de parler des langues étrangères. En somme, souligne-t-il, je suis un homme sur lequel on peut compter. Il parle, imperturbable, mais ses yeux restent tout le temps détournés des miens. Quelques minutes passent. Il entre enfin dans le vif du sujet :

— Ta mutation à l'étranger a été déterminée. L'endroit est...

Il fait une pause et déclare avec un grand sourire :

— Montréal !

— Pardon ?

J'ai failli corriger le nom de la ville : « Ce n'est pas Paris ? » Je le regarde, choqué. Il répète :

— Montréal !

« Mais... » Déconcerté, je reste muet. Il plaisante :

— Ne t'inquiète pas, Aoki. Ce n'est pas une petite ville dans l'État du Wisconsin. C'est la métropole du Québec, au Canada !

Je bégaie :

— Mais... il n'y a pas de succursale à Montréal.

Il laisse tomber les cendres de sa cigarette :

— Non, pourtant c'est l'un de nos projets importants, dont on discute depuis longtemps. Puisque tu parles aussi français, on veut que tu ailles au Québec. Le français de là-bas s'appelle québécois et l'accent ressemble à celui du dialecte de Tôhoku, mais il n'en est pas moins vrai que c'est du français. Tu t'y habitueras sans problème.

Je ne comprends pas ce qui se passe maintenant. Je pense à monsieur Toda, qui doit rentrer dans deux jours de son voyage à New York. Je doute qu'il soit au courant de ce changement. Le directeur continue à parler.

Il me dit que le Canada n'est pas un pays idéal pour vendre des produits japonais, sauf des machines électroniques. D'abord, affirme-t-il, la population est petite et ses marchés sont largement éparpillés, le coût de la distribution est donc considérable. En plus, il y a trop de grèves organisées par les syndicats de travailleurs. Notre firme développe depuis quelques années des projets d'importation, notamment avec la Colombie-Britannique où l'on a déjà une succursale à Vancouver. Pourtant, souligne-t-il, l'est du pays est méconnu mais il présente un potentiel très intéressant. Et là, il me regarde dans les yeux pour la première fois :

— La durée de ta fonction est prévue pour cinq ans. Ton salaire sera du même niveau que celui d'un sous-chef de bureau du siège social. C'est une promotion exceptionnelle. Bien sûr, tu vas recevoir aussi des allocations sur place.

Il s'arrête un moment et ajoute avec fierté :

— En plus, la firme payera les frais de voyage à ta famille, je veux dire ta mère et ta sœur, pour qu'elles puissent te voir deux fois par année pendant les trois premières années.

« Quoi ? » J'ai aussitôt un accès de colère : « Quelle intrigue ! Il est évident que la compagnie tente de m'empêcher de revoir Yûko. »

Je fixe le directeur. Je sais qu'il subit la pression de notre président-directeur général en raison du soutien de la banque Sumida. Il n'a pas le choix, lui non plus. Pourtant, s'il m'avait expliqué sa position, j'aurais pu avoir de la sympathie pour lui et même l'apprécier. Je me demande comment je réagirais si j'étais à sa place.

Le directeur insiste :

— C'est bien, n'est-ce pas ?

Il a le sourire aux lèvres alors que son regard reste de glace. La fumée de sa cigarette monte dans la pièce. Je songe à Nobu. Moi aussi je pourrais dire : « Non, je ne peux pas accepter cet ordre. Je vais quitter la compagnie Goshima. »

Le directeur détourne les yeux vers la fenêtre. Il continue à fumer. Son visage est sans expression. Je me demande s'il a jamais éprouvé une grande passion pour quelqu'un et s'il a jamais subi un échec amoureux. Par-dessus son épaule s'étend à perte de vue la ville de Tokyo. Je pense à monsieur Toda, à mon défunt père, à tous les membres de la famille Aoki qui sont des employés de la compagnie Goshima et de la banque Sumida.

Je ne sais pas combien de minutes ou même de secondes ont passé. Tout d'un coup, j'entends la voix de Yûko : « Takashi-*san*, venez à Montréal ! » Elle marche sur le chemin qui mène au belvédère du mont Royal. Elle regarde la ville et le fleuve Saint-Laurent. Elle s'exclame : « C'est mon pays, Kobe ! » Elle descend dans le Vieux-Montréal. Elle danse devant la cathédrale Notre-Dame, elle m'appelle d'un signe de la main : « Venez ici ! Je serai avec vous ! » Je souris. Je me mets à courir vers elle : « Attends-moi, Yûko ! »

Le directeur tourne la tête vers moi :

— C'est bien, n'est-ce pas ?

Je réponds clairement :

— Oui. Je ne mérite pas cet honneur. Je ferai de mon mieux.

Il dit, l'air triomphant :

— Très bien ! Je te souhaite bonne chance.

Je me lève de la chaise et m'incline devant lui :

— Monsieur le directeur, je n'oublierai jamais la peine que vous vous êtes donnée pour moi.

Il me regarde comme pris au dépourvu. Il ne dit rien, mais son visage se décompose.

Nous sommes le 17 mars. C'est l'anniversaire de Yûko. Elle a vingt-quatre ans.

Il ne s'est écoulé que deux semaines depuis mon retour de Singapour. Néanmoins, je me sens comme si j'avais vécu d'un coup plusieurs années.

Aujourd'hui, la compagnie annonce officiellement le remaniement du personnel. Les gens qui croyaient que je serais envoyé à Paris sont très surpris.

Monsieur Toda me dit :

— J'ignorais que la décision finale sur ta mutation serait modifiée ainsi !

Il est arrivé ce matin de New York. À voir son expression, il est clair qu'il n'a pas été consulté. Pourtant, il semble satisfait de cette nouvelle.

— Aoki, c'est un traitement exceptionnel !

Le directeur du personnel lui a expliqué que notre président-directeur général avait souligné l'importance d'avoir une succursale à Montréal. En apprenant le niveau de mon poste, mon salaire, les allocations pour moi et pour ma famille, monsieur Toda a cru voir combien la compagnie comptait sur moi.

106

Nobu me téléphone :

— Je n'ai jamais entendu parler de l'ouverture d'une succursale au Québec. Quel changement !

— Ce n'est pas un changement, car la compagnie n'a jamais annoncé officiellement ma mutation à Paris.

— Tu n'as pas besoin de défendre la compagnie. Il est normal de ne pas t'envoyer à Paris où il y a une succursale de la banque Sumida et où habite la fille du président de la banque.

— Quelles que soient les raisons, dis-je, j'ai accepté l'ordre. C'est ma décision. À Montréal, je ferai ce que je dois faire. Je suis quand même un *shôsha-man*.

— Ne te force pas, dit-il. La compagnie n'est pas tout.

— Je sais.

Je m'assure à nouveau qu'il ne parlera à personne de ma relation avec Yûko. Particulièrement à monsieur Toda.

Le soir, je me rends chez ma mère. Elle m'attend sans manger, bien qu'il passe déjà neuf heures. Sur la table sont disposés mes plats favoris : *gyôza*, *sashimi* et *chawan-mushi*.

— Quel festin !

Elle m'apporte du saké et porte un toast avec son *choko* :

— *Kanpaï* à ta mutation à Paris !

Je dis joyeusement :

— Non, je n'y vais pas !

— Non ?

Surprise, elle repose son *choko* sur la table. Je reste souriant :

— Je vais à Montréal.

— Montréal ? Comment ça ?

Je mens :

— On a trouvé que c'est un peu tôt de me muter à la succursale de Paris, déjà bien établie. On voudrait me faire prendre de l'expérience en m'envoyant dans un endroit nouveau.

— Ah bon...

Elle me regarde, l'air embrouillé. Je lui explique ma fonction et les traitements que je recevrai à Montréal. L'expression de son visage s'adoucit. Je ne mentionne pas les frais de voyage pour ma sœur et ma mère, car je n'ai nullement l'intention d'accepter cette offre. Je ne mentionne pas non plus mes trois premières années sans retour au Japon. Je dis :

— Ce sera un vrai défi d'ouvrir une succursale dans une ville inconnue. Je suis très excité.

— Quel changement ! dit-elle.

Je crois qu'il s'agit de ma mutation à Montréal au lieu de Paris. Non, ce qu'elle veut dire, c'est quel changement depuis l'époque de mon père. Elle murmure :

— Tu t'amuses à travailler, ce n'est pas comme ton père. Les temps ont changé.

Je me tais. Je me sens lourd en pensant à lui qui a été chassé du Japon comme je suis en train de l'être. Ma mère me regarde :

— Qu'est-ce qu'il y a, Takashi ?

— Non, rien.

Je prends mon *choko* :

— *Kanpaï* à ma mutation à Montréal !

Elle sourit faiblement :

— Paris ou Montréal, cela m'est égal. Les deux sont loin du Japon.

Je l'encourage :

— Tu pourras y déménager avec moi !

Elle refuse aussitôt mon invitation :

— Quelle idée ! Tu sais bien que les langues étrangères sont mon cauchemar !

Vers minuit, j'appelle un taxi. Ma mère me donne le reste des plats dans un contenant de plastique. C'est à ce moment qu'elle me demande brusquement :

— Es-tu au courant du mariage d'une réception-niste de ta compagnie avec le fils du président de la banque Sumida ?

Je suis troublé :

— Oui...

Elle poursuit sans me regarder :

— Je l'ai appris de ton oncle, qui travaille dans une succursale de la banque Sumida. Il a dit que le président est très content que son fils se marie enfin. Je suis curieuse de savoir quel genre de fille c'est.

Ma mère continue à parler de cette affaire. Je souhaite que le taxi arrive le plus tôt possible.

La semaine suivante, je vais à l'Académie Kanda voir mon professeur de français et les élèves de sa classe. Ils veulent organiser une réunion d'adieu pour moi. Je suis ému, mais je décline l'invitation en expliquant ma situation actuelle : j'ai tant de choses à faire avant de partir pour Montréal.

C'est au moment de sortir de la classe que je croise la jeune serveuse, la nièce du propriétaire du café Torêhuru. Je m'étonne : «Quelle coïncidence ! » Je demande :

— Qu'est-ce que tu fais ici ?

Elle sourit :

— Je suis un cours de français. Et vous ?

— Moi aussi, mais aujourd'hui c'est mon dernier jour. Je partirai bientôt à Montréal.

— Montréal ? C'est une ville que je voudrais visiter un jour !

Je la taquine :

— Ah bon ? Alors, je t'inviterai pour ton voyage de noces.

Elle rit :

— Je n'ai pas encore de petit ami !

Elle parle toujours agréablement. Elle m'apprend que les cours à son université commenceront dans deux semaines et qu'elle continuera à travailler au café Torêhuru. Je lui dis que je n'y viendrai plus, que je pars pour un séjour de cinq ans. Elle s'exclame :

— Si longtemps ! Vous et votre amie me manquerez !

— Malheureusement, dis-je, nous ne sommes plus ensemble.

Elle est très étonnée. Son visage s'assombrit aussitôt :

— Je suis désolée... Il me semblait que vous étiez un couple parfait.

Je me tais. «Un couple parfait...» Nobu a prononcé cette expression plusieurs fois. Parfait ou non, Yûko et moi n'avons pas eu de liens solides. Je suis toujours triste, mais je ne peux penser à notre sujet qu'ainsi.

Je me présente pour la première fois :

— Je m'appelle Takashi Aoki.

Elle répond en me tendant la main :

— Je m'appelle Yuriko Shibata.

Je lui demande les idéogrammes de son nom en *kanji* et je les répète dans ma tête.

— Je t'enverrai une carte postale, dis-je, à l'adresse du café Torêhuru.

Ses yeux brillent :

— C'est gentil ! Je l'attendrai avec plaisir !

Je marche dans une petite ruelle qui mène à la station de métro. Je pense à Yûko. Je me rends compte que Yûko et Yuriko Shibata ont en commun certains traits de caractère et une allure distinguée.

Le jour de mon départ pour Montréal est arrivé.

Ce matin, je me rends à mon bureau comme d'habitude. Je règle les derniers détails administratifs pour l'ouverture de la succursale de Montréal. Vers onze heures, je prends congé des gens responsables. Je vais voir le chef d'équipe, le chef adjoint de service, le chef de service, le sous-chef du département des affaires étrangères... Le directeur du personnel et le président-directeur général ne sont pas dans leurs bureaux. Je suis soulagé de leur absence, car je n'ai aucune envie de les revoir. Il est certain qu'ils ne veulent pas me saluer non plus. Et en dernier, je frappe à la porte de monsieur Toda.

Je dis sincèrement :

— Merci beaucoup pour tout ce que vous avez fait pour moi.

Il m'invite à m'asseoir dans le fauteuil. Il fait apporter des tasses de thé par sa secrétaire.

En buvant, il murmure :

— Ça fait déjà sept ans que tu travailles pour notre compagnie. Je me souviens encore du jour où tu t'es présenté à l'examen oral. Tu m'as impressionné par ta grande compétence.

Son regard est attendri. Je dis :

— Ça fait onze ans que mon père est mort. Je me rappelle, comme si c'était hier, ses funérailles où vous m'avez encouragé à entrer aussi dans cette compagnie.

— J'avais raison. Nous avons de la chance d'avoir un homme efficace et actif comme toi. Je suis toujours fier de toi.

Je me tais. Je vois l'image de mon grand-père qui fulmine contre les cadres : « Vous avez tué mon beau-fils ! » Je secoue la tête comme si j'effaçais cette image amère : « Oublie ça ! »

Je demande à monsieur Toda :

— Pourquoi êtes-vous devenu *shôsha-man* ?

Il sourit :

— C'est la question que ma femme m'a posée lorsque je l'ai demandée en mariage. Elle voulait savoir si j'étais fier de mon métier.

— Vraiment ?

Je pense à sa femme, maîtresse de cérémonie du thé. Elle a toujours accompagné son mari à l'étranger, où que ce soit, et s'est occupée des employés des succursales en les invitant à manger. C'est une bonne cuisinière. Tout le monde l'appréciait, notamment dans les pays les plus éloignés du Japon. Le couple n'a pas d'enfants.

— J'avais vingt-cinq ans, dit-il. Je venais d'entrer dans la compagnie Goshima. C'était l'année suivant la défaite. J'avais été mobilisé

114

aux Philippines. Quand je suis revenu à Tokyo, la ville était complètement détruite par les bombardements. Les soldats américains conduisaient leurs jeeps en buvant du coca-cola, ils lançaient des chocolats ou des chewing-gums aux enfants affamés. Les G.I. faisaient même des mamours aux filles japonaises. Le visage outrageusement fardé, elles les suivaient...

Ce sont des scènes dont mon père aussi m'avait parlé. Curieux, je demande :

— Alors comment avez-vous convaincu votre femme ?

Un instant, son visage s'empourpre :

— J'ai dit : « Je veux servir à la reconstruction de l'économie de notre pays. Pour sortir de la misère de la défaite, il faut se procurer des devises étrangères autant que possible en vendant des produits japonais. C'est exactement la fonction de la compagnie Goshima. » J'étais sérieux. Elle a été émue et a accepté ma proposition.

Je comprends pourquoi cette femme aide son mari avec tant de dévouement. C'est merveilleux. Pourtant les temps ont changé. Maintenant, on mène une vie plus aisée sur le plan matériel. Je crois qu'on trouve la vie personnelle ou familiale plus importante qu'avant, surtout chez les femmes. Yûko disait : « Je ne veux pas épouser un *shôshaman* déjà marié avec sa compagnie. »

Monsieur Toda sourit :

— Ton père avait la même motivation que moi lors de son entrée dans la compagnie.

— Mon père aussi ?

— Oui. Ayant connu toutes les amertumes de la guerre, nous avions à cœur l'avenir du Japon. À l'étranger, on vendait avec une réelle frénésie des produits japonais. Je me sentais comme si j'avais été à nouveau envoyé au front. Mais cette fois, c'était une guerre commerciale. Je pense à ton père comme à l'un de mes compagnons d'armes morts à l'île de Luçon, aux Philippines.

Mon cœur est serré. Je me rappelle l'époque où notre famille habitait à Helena, dans l'État du Montana, au début des années 1960. Le Japon se lançait dans une croissance accélérée. Mon père était tellement occupé qu'il restait rarement à la maison. Malgré sa connaissance rudimentaire de l'anglais, il avait réussi à étendre son réseau de vente.

Monsieur Toda murmure, l'air triste :

— C'est dommage, c'est dommage que ton père soit mort si jeune...

Je demande :

— Qu'est-ce que vous allez faire après votre retraite ?

Il répond :

— Je vais en Indonésie avec ma femme.

— En Indonésie ? Pour voyager ?

— Non. Nous travaillerons, en tant que bénévoles, probablement dans le secteur de l'éducation. J'aimerais aider des gens à former du personnel spécialisé.

Je ne m'attendais pas à cette réponse. En l'écoutant parler de son projet, je me rappelle l'histoire de l'Ancien Testament que Nobu m'a racontée l'autre jour. «La ville de Sodome.» Si je ne me venge pas de la compagnie Goshima, ce sera en raison de la présence de quelqu'un comme monsieur Toda.

Les yeux légèrement humides, il dit :

— Je t'enverrai ma nouvelle adresse. Si tu as des questions ou des problèmes, tu peux me contacter n'importe quand.

Je me lève du fauteuil et m'incline vers lui, profondément.

Il est quatre heures de l'après-midi. Je suis prêt à partir pour l'aéroport Narita.

Je descends chercher mes valises laissées dans une salle d'attente. Je vais à la réception pour qu'on m'appelle un taxi.

La fille que Yûko remplaçait à la réception est revenue depuis quelques semaines. Je la vois parler avec un jeune homme. C'est le stagiaire d'Osaka, qui porte toujours une cravate verte. Je me demande s'il essaie d'inviter cette fille à sortir avec lui, comme il le faisait avec Yûko. Dès qu'il m'aperçoit, il s'incline et quitte l'endroit.

— Ah, monsieur Aoki !

La réceptionniste m'appelle comme si elle attendait mon arrivée. Je demande :

— Y a-t-il quelque chose pour moi ?

— Oui. Monsieur Tsunoda est venu tout à l'heure.

Elle pose un petit paquet sur le comptoir. Je suis ému : « Nobu est venu ! » Curieux, je l'ouvre. C'est un exemplaire tout neuf de l'Ancien Testament. Je souris : « C'est bien digne de lui. » Je lis sa dédicace sur la page de garde : « Takashi, je fais des vœux de succès pour toi. Au revoir ! Nobu »

La réceptionniste regarde mes valises :

— Vous partez pour Montréal ce soir !

— Tout à fait.

Je pense un instant que si elle n'avait pas été malade, Yûko n'aurait pas travaillé à la réception et que le fils du président de la banque Sumida n'aurait pas eu la chance de la rencontrer. C'est alors que la réceptionniste me dit :

— Je viens d'apprendre que le mariage de mademoiselle Tanase a eu lieu il y a une semaine. Le couple est en voyage de noces en Europe.

Je l'écoute avec étonnement : « Déjà ? » Elle plaisante :

— J'espère qu'un jour un prince charmant viendra me voir à la réception.

Je ne réponds pas. Je lui demande de m'appeler un taxi.

Dehors, le ciel est limpide. La lumière du soleil est forte. « Quel beau temps ! » Ça sent même le commencement de l'été. Nous sommes le 3 mai. Deux mois ont passé depuis mon dernier voyage à Singapour. Je me sens envahi par un sentiment étrange. Je ne serai plus au Japon à partir de ce soir. Un moment, je me rappelle les paroles de Yûko : «Au Québec, la saison de la nouvelle verdure arrive enfin au début du mois de mai. »

Des piétons me jettent un coup d'œil. Certains d'entre eux remarquent l'insigne de la compagnie Goshima attaché sur le revers de ma veste. Ils me regardent avec respect et envie. Je me retourne pour voir l'immeuble Goshima. Éclairées par le soleil, les vitres brillent. J'enlève l'insigne et le mets dans la poche intérieure de ma veste.

Le taxi arrive. Le chauffeur pose mes valises dans le coffre :

— Quelle est la destination ?

— L'aéroport Narita, s'il vous plaît.

Le taxi se met à rouler doucement. L'immeuble Goshima s'éloigne. Je ferme les yeux.

II

Je suis dans le bureau. Ma femme et ma fille me rejoindront bientôt pour aller déjeuner dans le quartier chinois. C'est dimanche. À part moi, il n'y a personne ici. Je suis seulement venu chercher les papiers que ma secrétaire a préparés pour une conférence qui a lieu demain. Je vais servir d'interprète à deux sociétés, l'une japonaise et l'autre québécoise, pour une transaction de viande de bœuf.

Il neige à gros flocons. Je vois le calendrier apposé sur le mur. Nous sommes le 17 mars. Le printemps arrivera bientôt. Ma fille, qui est née à Montréal, a hâte d'aller à la cabane à sucre avec ses camarades de classe.

Je m'installe dans le fauteuil. C'est tranquille. Je vois la neige voltiger. Dans ma tête revient la nouvelle du grand tremblement de terre qui a frappé il y a exactement deux mois la région de Hanshin, notamment la ville de Kobe. Un séisme de force 7,2, plus de cinq mille morts. C'est le tremblement de terre le plus fort depuis celui de Kanto en 1923. Je pense à Nobu et à Yûko.

Bien qu'ils habitent Tokyo maintenant, ils sont originaires de Kobe. Leurs familles proches ou lointaines doivent encore vivre là-bas.

Le lendemain du séisme, j'ai vu à la télévision des scènes catastrophiques. Des parties de la ville étaient complètement tombées en ruine. Les rails dénudés du fil aérien du *shinkansen*. Le béton armé tordu et renversé de l'autoroute Hanshin. Un quartier détruit dans l'incendie. Les vieilles maisons de bois écrasées ou aplaties... En plus, il faisait encore froid. J'imaginais les difficiles lendemains des victimes. J'ai pensé alors que mon expérience amère au sein de la compagnie Goshima était insignifiante comparée à celle de ces victimes.

Quatorze ans ont passé depuis mon arrivée à Montréal en 1981. Je ne travaille plus pour la compagnie Goshima.

Je l'ai quittée en 1986, quand le siège social de Tokyo a ordonné ma mutation à Singapour. Au Japon, c'était le début de la bulle économique. Comme d'autres entreprises, la compagnie Goshima se lançait dans les biens immobiliers, non seulement au pays mais aussi à l'étranger. Cette affaire semblait bien marcher. La compagnie tentait d'accroître encore ses affaires en pays étrangers. On a même envoyé plusieurs employés à la succursale de Montréal où j'avais obtenu de bons résultats pour l'achat de minerai de fer. Ma demande de démission a donc surpris le siège social de Tokyo. On a tenté de me dissuader, mais ma décision était ferme. Quant au directeur du personnel, il n'était plus là. Il était mort d'un cancer du poumon l'année suivant mon départ du Japon.

Dès ma démission de la compagnie Goshima, j'ai créé mon propre bureau de communications : j'offre des services d'interprétariat et de traduction pour l'anglais, le français, le japonais et le mandarin. La transition s'est passée plutôt bien, car les gens avec qui j'avais travaillé en tant que *shôsha-man* me faisaient confiance et ils ont apprécié aussitôt mon nouveau statut. Maintenant, j'ai une secrétaire québécoise et deux assistantes : l'une d'origine japonaise et l'autre, chinoise.

C'est vers la fin des années 1980, alors que mes affaires allaient très bien, qu'au Japon la bulle économique s'est enfin dégonflée. Beaucoup d'entreprises et de banques ont été prises de panique. La compagnie Goshima n'a pas fait exception. Elle a tout de suite essayé de revendre des biens immobiliers, mais c'était trop tard. Elle a subi d'énormes dommages et a dû réduire ses activités, particulièrement à l'étranger.

Quant à la succursale de Montréal, elle a été fermée tout récemment. D'après ce que j'ai entendu dire, tous les employés ont été mutés ailleurs qu'au Japon. Le siège social de Tokyo craignait l'instabilité économique du Québec en cas de séparation du Canada, après le prochain référendum sur l'indépendance prévu pour le mois d'octobre de cette année.

Je me suis marié avec Yuriko sept ans après mon arrivée à Montréal. Ma mère, ma sœur ainsi que l'oncle de Yuriko et sa femme sont venus à Montréal assister à notre mariage. Trois ans plus tard, Kanako est née et, quand elle a eu un an, nous sommes allés au Japon la présenter à nos familles. Ensuite, nous avons voyagé en Indonésie pour rencontrer monsieur Toda et sa femme, qui travaillaient dans une école de formation professionnelle. Ils nous ont accueillis comme si nous avions été leur famille. Monsieur Toda m'a dit : « Bon, tu n'es plus employé de la compagnie Goshima et moi, je ne suis plus ton supérieur. Désormais, tu pourras compter sur moi comme si j'étais ton père. »

Pendant notre séjour à Tokyo, j'ai contacté Nobu, qui m'a montré son *juku*. Ses affaires marchaient bien, il avait plus de trois cents élèves. J'étais très content pour lui. C'est alors qu'il m'a appris qu'une fois Yûko était venue avec son amie qui cherchait un bon *juku* pour son fils. Lorsqu'il m'a dit avoir vu aussi sa fille, j'ai été ébranlé. Les mots « sa fille » évoquaient l'existence de son père, Takashi Sumida.

Je regarde de nouveau le calendrier sur le mur. Nous sommes le 17 mars... Yûko a trente-huit ans aujourd'hui. Je me demande quel âge a « sa fille ».

Ma femme et ma fille entrent dans le bureau. Très excitée, Kanako me crie :

— Papa, dépêche-toi !

Elle me tire par le bras pour aller près de la fenêtre.

— Regarde !

Je vois la rue Sainte-Catherine. Un long défilé de la Saint-Patrick est en train de passer devant notre édifice. Des gens en manteau vert, des chars, des cornemuses, des percussions... La chaussée est envahie par une marée verte. Les enfants agitent les mains vers le défilé.

Yuriko s'approche de nous. Tous trois, nous regardons le défilé ensemble.

Soudain, j'ai un sentiment de déjà-vu. Au bout d'un moment, je me rappelle l'*ékisha* que j'avais rencontré le soir où Yûko et moi étions allés dans un restaurant manger des tempuras. Il m'avait dit : « Vous êtes à la fenêtre avec votre femme et votre fille. Vous trois regardez le défilé. Vous avez une autre fille, qui vous y rejoindra bientôt... » L'*ékisha* voyait alors une scène de mon avenir.

Cela m'impressionne maintenant. Pourtant, il avait tort à propos de « mon autre fille ». Je n'ai qu'une fille. C'est notre enfant unique.

Kanako me dit, d'un air fier :

— Maman m'a appris un nouveau mot !

— Ah bon ? Qu'est-ce que c'est ?

— *Shamrock*. Ça veut dire trois feuilles en irlandais, n'est-ce pas ?

— Oui, tout à fait !

Yuriko me dit :

— Mon chéri, descendons dans la rue avant que le défilé ne s'éloigne.

Kanako se précipite vers la porte. Je ramasse l'enveloppe, qui contient les documents pour la conférence de demain matin. Au moment où nous sortons du bureau, le téléphone sonne. « Qui est-ce ? » C'est dimanche, personne n'est censé répondre. Curieux, je décroche :

— Allô ?

Je ne prononce pas le nom de la compagnie. Après un moment de silence, j'entends la voix d'un Japonais, qui me demande :

— Je voudrais parler à monsieur Takashi Aoki.

Je réfléchis un instant et m'exclame :

— Nobu ! Quelle surprise !

Ma femme tourne la tête vers moi. Je lui dis que c'est un de mes anciens collègues de la compagnie Goshima. Elle acquiesce de la tête et sort du bureau avec Kanako.

Nobu me dit :

— Excuse-moi de te déranger...

— Non, pas du tout! Comment vas-tu?

C'est la première fois que nous nous parlons au téléphone. Trop occupés, nous ne nous échangeons qu'une carte de nouvel an. Je me rends compte qu'au Japon il est deux heures du matin. Je sens qu'il a quelque chose d'important à me dire. Il demande :

— Es-tu au courant du tremblement de terre dans la région de Hanshin?

— Bien sûr! Je pensais à ta famille qui habite à Kobe.

— Merci. Ma famille va bien, mais...

Il s'arrête. Je demande :

— Mais quoi?

— Yûko est morte le lendemain du séisme. Elle était en visite à Kobe.

«Quoi? Yûko est morte?» Cette nouvelle est si soudaine que je ne sais que répondre. Dans la tête me revient une image effroyable que j'ai vue à la télévision. «Elle était aussi là-bas?» Je frissonne. Un moment, je me souviens de son cousin, Masao, qui vivait à Kobe.

Nobu dit qu'on a trouvé Yûko écrasée dans l'écroulement d'une maison. Elle était encore vivante et a été tout de suite transportée à l'hôpital. Grièvement blessée, elle était hors d'état de communiquer. Heureusement, elle portait dans la poche de son manteau un carnet d'adresses. Sa fille et ses parents, monsieur et madame Tanase, sont aussitôt arrivés. Son mari, Takashi Sumida, était en voyage d'affaires à Paris, avec son père. Malgré son état, Yûko a fait un dernier effort pour parler à ses parents. Elle leur a demandé de me contacter.

— Me contacter? dis-je. Pourquoi maintenant? Je n'ai jamais rencontré ses parents.

Nobu dit, hésitant:

— Il s'agit de la fille de Yûko.

— Pardon?

— Elle est née de toi, dit-il. Comprends-tu? Elle est née au mois de décembre de l'année où tu as quitté le Japon.

«De moi?» Je suis profondément troublé. Je n'ai passé avec Yûko qu'une seule nuit, à Kobe. Je peux même me rappeler la date: le samedi 6 mars. La voix tremblante, je demande:

— Son mari savait-il que la fille était de moi?

— Oui. Dès que Yûko a su qu'elle était enceinte, elle lui a tout avoué et lui a demandé de rompre leurs fiançailles. Il en a été choqué. Pourtant, il a insisté pour qu'elle l'épouse et il a même voulu déclarer l'enfant comme le sien.

— Incroyable...

Je reste coi pendant quelques instants alors que Nobu continue de raconter ce que les parents de Yûko lui ont appris. Je demande:

— Comment leur vie conjugale allait-elle? Yûko était-elle heureuse avec son mari?

— Ça, tu dois le demander à ses parents.

Je me tais. Il murmure:

— Quelle ironie... Tu es le père de la petite-fille du président de la banque Sumida, qui t'a expulsé du Japon. Si ce président et celui de la compagnie

130

Goshima le savaient, ce serait une catastrophe pour eux...

Je ne réponds pas. Je pense à monsieur Toda, qui ignore depuis le début mes relations avec Yûko. Je demande :

— Connais-tu le nom de la fille ?

— Bien sûr. Elle s'appelle Mitsuba.

— Mitsuba ?

— Oui. Je n'ai jamais entendu un prénom pareil. Excuse-moi, je dois te quitter maintenant. Il est presque trois heures du matin. Il faut que je me recouche. En tout cas, le père de Yûko te contactera bientôt. Salut !

Le silence se fait.

Je regarde vers la fenêtre comme si j'étais dans un rêve. De gros flocons de neige voltigent au vent. Ils me rappellent un tourbillon de pétales de fleurs. Au Japon, ce sera bientôt la saison des cerisiers. Je vois l'image de Yûko qui arrange des fleurs dans un vase. Elle me sourit : «Takashi-*san*, allons à Montréal ensemble ! C'est mon pays, Kobe !» Mon cœur se serre. Ma vue est brouillée par les larmes. Je murmure : «Yûko, bon anniversaire...»

GLOSSAIRE

Aïsaïka : bon mari. Littéralement : homme qui aime sa femme.

Atendo (de l'anglais *attendant*) : service d'accueil, escorte.

Chawan-mushi : flan aux œufs et au poulet servi chaud dans une tasse.

Choko : tasse à saké.

Ékisha : devin, diseur de bonne aventure.

Gyôza : petite pâte farcie de légumes, de poulet haché, etc.

Juku : cours privé.

Katakana : écriture syllabique japonaise, utilisée principalement pour les mots d'origine étrangère.

Kanji : idéogrammes chinois.

Kanpaï : toast, « À votre santé ! ».

Kobe-beef : viande de bœuf engraissé à la bière.

Koto : cithare japonaise à treize cordes.

Miaï : rencontre arrangée en vue d'un mariage.

Mitsuba : trois feuilles. Le trèfle s'appelle en japonais *shirotsumekusa* ou *kurôbâ* de l'anglais *clover*.

Nomiya : caboulot.

san : suffixe de politesse équivalant à monsieur, madame ou mademoiselle.

Sashimi : tranche de poisson cru.

Shamrock : mot d'origine irlandaise signifiant trois folioles.

Shinkansen : le TGV japonais.

Shôsha-man : employé d'une firme commerciale *(shôsha)*.

Sôgô-shôsha : grande compagnie de commerce. (*sôgô* : synthèse, globalisation.)

Takarazuka : troupe de music-hall composée uniquement de femmes.

Tama no koshi (du proverbe *tama no koshi ni noru*) : mariage d'une fille pauvre avec un homme de haute naissance.

Wa : harmonie, paix, union, Japon, le japonais.

DU MÊME AUTEUR

Le Poids des secrets
TSUBAKI (prix Hervé Foulon-Un livre à relire 2021), Actes Sud, 1999 ; Babel n° 712.
HAMAGURI (prix Ringuet de l'Académie des lettres du Québec), Actes Sud, 2000 ; Babel n° 783.
TSUBAME, Actes Sud, 2001 ; Babel n° 848.
WASURENAGUSA (prix Canada-Japon), Actes Sud, 2003 ; Babel n° 925.
HOTARU (prix littéraire du Gouverneur général du Canada), Actes Sud, 2004 ; Babel n° 971.

Au cœur du Yamato
MITSUBA (prix de l'Algue d'or), Actes Sud, 2007 ; Babel n° 1123.
ZAKURO, Actes Sud, 2009 ; Babel n° 1143.
TONBO, Actes Sud, 2011 ; Babel n° 1286.
TSUKUSHI, Actes Sud, 2012 ; Babel n° 1380.
YAMABUKI (prix Asie de l'ADELF), Actes Sud, 2014 ; Babel n° 1470.

L'Ombre du chardon
AZAMI, Actes Sud, 2015 ; Babel n° 1551.
HÔZUKI, Actes Sud, 2016 ; Babel n° 1623.
SUISEN, Actes Sud, 2017 ; Babel n° 1700.
FUKI-NO-TÔ, Actes Sud, 2018 ; Babel n° 1767.
MAÏMAÏ, Actes Sud, 2019 ; Babel n° 1822.

Une clochette sans battant
SUZURAN, Actes Sud, 2020 ; Actes Sud audio (lu par Élodie Huber), 2022.
SÉMI, Actes Sud, 2021 ; Actes Sud audio (lu par Bernard Gabay), 2022.
NO-NO-YURI, Actes Sud, 2022 ; Actes Sud audio (lu par Marie-Sophie Ferdane), 2022.

BABEL

Extrait du catalogue

OUVRAGE RÉALISÉ
PAR L'ATELIER GRAPHIQUE ACTES SUD
REPRODUIT ET ACHEVÉ D'IMPRIMER
EN JANVIER 2023
PAR NORMANDIE ROTO IMPRESSION S.A.S.
À LONRAI
POUR LE COMPTE DES ÉDITIONS
ACTES SUD
LE MÉJAN
PLACE NINA-BERBEROVA
13200 ARLES

DÉPÔT LÉGAL
1re ÉDITION : 3e TRIMESTRE 2012
N° impr. : 2300374
(Imprimé en France)